17音の青春　２０２３

五七五で綴る高校生のメッセージ

序に代えて　―入賞しなかったあなたへ―

神奈川大学全国高校生俳句大賞専門委員会委員長
平山　昇

第25回神奈川大学全国高校生俳句大賞は、二三三七校からの応募があり、応募数も一〇三六三通にのぼりました。高校生らしいみずみずしい作品がひしめくなかで、選者の先生方も選定に苦心をかさねられたことと思います。

今回の予選は、北川素月、清水青風、橋本直、原千代、村井丈美、若井新一の諸先生方にお願いをしました（私事ですが、「初詣」の近現代史を研究する私は、近代季語の初出を精査した橋本直先生の御論文を拙稿で参照したことがあります。このような場で橋本先生にめぐりあえた奇縁に喜びを禁じ得ません）。続く本選選考は、宇多喜代子、大串章、恩田侑布子、長谷川櫂、復本一郎の諸先生方に、今回も労をとっていただきました。先生方の多大な御尽力に、心からお礼を申し上げたいと思います。

さて、ここからは、今回せっかくの作品が入賞しなかった人へのメッセージです。

あなたは、今回の大賞に応募したことで、俳句をもっと好きになりましたか？
コンテストという形式を採る以上、どうしても「入賞した人」と「入賞しなかった人」の差異が生じてしまいます。後者のなかには、「まあ、先生に出せと言われて出したから、べつに何ともないや」という人もいれば、「せっかく力を振り絞ってつくりあげた句だったのに入賞できなかった……」と残念に思っている人もいるでしょう。

私自身、俳句とは無縁の人生をすごしてきましたが、高校生の頃にプロのクラリネット奏者を目指してコンクールを受けて落選した経験があります。そんな私から、今回入賞しなかったあなたに言いたい。

本当の勝者は、「俳句がもっと好きになった！」と実感できた人です。なぜなら、俳句がもっと好きになったあなたの人生は、これからもずっと俳句によって潤っていくからです。コンクールに落選してプロを目指すことはあきらめたけど、「これからの人生ではアマチュアとして音楽を楽しみ尽くしてやる！」と決意して、四五歳になった今でも音楽活動を楽しみまくっている私のように……。

皆さんの多くがこれから経験する大学入試だって、まったく同じことです。入試の本当の勝者は、偏差値が高い大学に合格した人ではなく、「学ぶことがもっと好きになった！」と実感した人です。

「好き」という気持ちは、他人の評価などとはまったく関係なく、あなたの人生を豊かでエキサイティングなものにしてくれます。あなたが、この俳句大賞をきっかけに俳句をもっと好きになってくれたのであれば、あなたにとってこの俳句大賞は、真の意味で、たいせつな贈り物になったと言えるのではないでしょうか。

それでは皆さん、Bon Voyage!《ボン・ヴォヤージュ》（よい旅を）

選考委員から

高校生諸君

宇多喜代子

今、高校生諸君に言いたいことの一つに、俳句作りとはべつに「歳時記」を一冊持とうよ、そして空を見上げてみようよ、ということがあります。特別ななにかがあるという空ではなく、日々巡り来る「普通」の空です。

季節の言葉を時候、天文、地理などに分けて採用している「俳句歳時記」の「天文」という部には、たとえば「月」に関する言葉がいくつも掲載されています。

「月」はそれだけで秋の季語です。秋以外の季節の月には「春の月」「夏の月」などと季節を特定しますが、「秋の月」という季語はないのです。もし、アメリカの高校生に「どうして日本では秋の月とは言わないの」と質問されたらどう答えたらいいでしょう。また「月」にまつわる立待月、居待月、臥待月、更待月、などの微妙な月齢の推移を表す言葉のおもしろさ。歳時記はそんなおもしろさを教えてくれます。

大自然の「空」には日、月のほか雲があります。雲の有り様は今日明日のお天気を教えてくれます。古来、定住は自ずとその日の天気、明日の天気、これを教えてくれていました。ネットやテレビなどに教えられなくても、めいめいの統計学で、空の様子を予測していたのです。この雲がこの速度でこの方角に流れている、明日は雨だ、そんな観天望気です。難しいことでもなんでもなく、科学のなかった時代の人々の当たり前だったのです。そんな当たり前が、いつしか科学に基づく天気情報となりました。

もし天気情報を教えてくれるメディアがなかったら何もわからない、そういうことがないとは言い切れません。

高校生諸君、学問の向上と並行して自然相手の観天望気をぜひ身に着けていただきたい。自分の住んでいるところの空の様子。これを知ることの大事は、かならず生きていくうえの大事となるだろうと思います。

青年の肩借りて立つ冬の朝　喜代子

宇多喜代子（うだ・きよこ）　一九三五年、山口県生まれ。大阪へ転居し、転入した府立桜塚高等学校時代より句作。「獅林《しりん》」へ入る。一九六九年、桂信子の「草苑《そうえん》」入会。「草苑」終刊後、「草樹」会員。著書に句集『りらの木』『夏月集』『象』『記憶』『宇多喜代子俳句集成』『森へ』、評論集に『ひとたばの手紙から』『古季語と遊ぶ』『名句十二か月』『里山歳時記』『俳句と歩く』『この世佳し　桂信子の百句』など。二〇一九年に文化功労者に選出。

楽しく真剣に

大串 章

高校生の皆さん、「楽しく真剣に」をモットーに俳句を続けましょう。高校時代という貴重な時間は人生に一度しかありません。その貴重な時間を俳句に使うのは決して無駄遣いではありません。私は中学時代に肺浸潤を患い2年間休学したのを契機に俳句を始めましたが、高校時代・大学時代も俳句を続け、多忙を極めたサラリーマン時代も俳句を手放しませんでした。そして85歳になった今、俳句は私の生き甲斐になっています。俳句がなければ今の私はないと言っても過言ではありません。俳句に吟行は欠かせません。吟行をやると季節ごとの山川草木に触れ、大自然の生気を感受することが出来ます。又、句会をやることも有意義です。句会は作者名を伏せて出句し選び合いますが、自分では最高と思った句が1点も取れないことがあります。独り善がりや唯我独尊の不徳を句会は教えてくれるのです。俳句を作るとき他の人におもねる必要はありませんが、俳句の道を歩み続けるには他者の眼が不可欠です。高校生の皆さんは通常の授業のほか部活や受験勉強など多忙な日々を過ごしておられますが、時間を見つけて吟行し、句会をなさるようお勧め致します。

もう一つお勧めしたいことがあります。高校生の皆さんには新しい素材を見出し俳句の世界を広げてほしいのですが、短歌や俳句の過去も見捨てないで頂きたいと思うのです。先人たちが残した努力の足跡を心の片隅に置いて頂きたいのです。私は若い頃、新潮日本古典集成『萬葉集』（全5巻）を通読しましたが、それと共に北山茂夫著『萬葉集とその世紀』、中西進著『万葉の歌びとたち』、山下一海著『芭蕉の世界』、浪本澤一著『芭蕉風雅考』などを読んで自分なりにいろいろ学ぶことが出来ました。貴重な経験でした。

若き日の傍線あまた読み始む　章

大串章（おおぐし・あきら）　一九三七年生まれ。大学時代、「青炎」「京大俳句」などに参加。一九五九年、大野《おおの》林火《りんか》に師事。一九九四年、俳誌「百鳥《ももとり》」を創刊・主宰。句集に『朝の舟』（俳人協会新人賞）、『大地』（俳人協会賞）、『山河』『海路』『恒心』、評論集に『現代俳句の山河』（俳人協会評論賞）など。朝日新聞、愛媛新聞俳壇選者。日本文藝家協会理事。俳人協会会長。

危機の時代こそ

恩田侑布子

やんなる。ソンな時代に生まれちゃったと、お思いではありませんか。

地球温暖化とコロナ禍で、人類が連帯し明知を集めるべき時に、ロシアはウクライナ侵略を始めました。民主主義と命が脅かされ、グローバルなサプライチェーンが震撼させられています。日本では、イノベーションの低迷から経済が衰退し国の債務残高はＧＤＰ比二倍半を超えました。ジェンダーギャップ指数は世界の底辺に張り付き、産み育てにくい少子高齢社会に沈み込んでいます。四大プレートが鬩ぎ合う地震の巣の国で、自然エネルギーよりも原発再興の声が高く、危機は目白押しです。ツケを負わされるのはわたしたち若者なのだと心が折れそうになるかもしれません。現高校生は二十二世紀の開幕を生きのびるため、前途を塞ぐ難題に立ち向かってゆかなければなりません。

では、俳句はこうした現実とは無縁でしょうか。歳時記の四季の循環に身を任せ、季語を遺産として楽しむならたしかに余《よ》所《そ》事《ごと》でしょう。ところが、俳諧精神はそんなに狭量ではありません。ありとあらゆる善悪、美醜、安危をひっくるめた環境と一体になった命を、井戸を掘るように読解し、そこから浴びた飛沫を一句にするのです。

今回、日本語に新しい命を吹き込む高校生の俳句に曙光を感じました。日本語こそ祖国だからです。高村光太郎は三十歳で、「冬が来た」を創りました。「冬よ／僕に来い、僕に来い／僕は冬の力、冬は僕の餌食だ（一行空け）しみ透れ、つきぬけ／火事を出せ、雪で埋めろ／刃物のやうな冬が来た」（詩集『道程』）。小さな自己を励起するりんりんたる声です。七難八苦は詩を勁くします。俳句はゴミのような詩形ゆえに全人的《ホリスティック》です。俳句は切れることで万物を入れ子のようにたたみ、他者につながる詩です。

仙薬は梅干一つ芽吹山　　侑布子

恩田侑布子（おんだ・ゆうこ）　一九五六年、静岡県生まれ。俳人・文芸評論家。静岡高校時代より句作。早稲田大学一文卒。現在、「樸《あらき》」代表、現代俳句協会賞選考委員。評論集『余白の祭』でBunkamuraドゥマゴ文学賞受賞。翌年、パリ日本文化会館客員教授として、コレージュ・ド・フランスなどで五講演。第四句集『夢洗ひ』で芸術選奨文部科学大臣賞、現代俳句協会賞、桂信子賞受賞。編著に『久保田万太郎俳句集』（岩波文庫）。評論集に『渾沌の恋人《ラマン》　北斎の波、芭蕉の興』（春秋社二〇二二年四月刊）。句集に『イワンの馬鹿の恋』『振り返る馬』『空塵秘抄』『はだかむし』。

発想と推敲

長谷川　櫂

俳句は発想にはじまって推敲に終わる。

出発点が発想であるというと、題材が新しくなければならないのだろうとすぐ勘違いされるが、題材そのものは古くても新しくても構わない。発想とはその題材をどう捉えるか、どう思うか、どう感じるかの問題である。

それなら簡単と思うかもしれないが、これが難しい。人間は生まれた瞬間から毎日、人間としての発想を叩き込まれる。叩き込む役は主に母親と先生。上手に覚えれば「よい子」「優等生」と褒められる。つまり「よい子」「優等生」とは母親や先生の望みどおりの人間としての発想を習得した人のことなのだ。

同じように俳句の世界にも俳句の発想があって、入門書や俳句の先生から叩き込まれる。努力の結果、そのとおりに俳句ができれば俳句の優等生として褒められる。こうして同じ発想、似た発想の俳句の山が築かれることになる。俳句の世界でしばしば問題になる類句、類想の根源はここにあるだろう。

「俳句は発想にはじまる」とは、この既存の発想を超えて自分の発想で詠みなさいということなのだ。そこにははるかに広い俳句の世界が広がっているだろう。

さて詠んだ俳句は推敲しなければならない。推敲とは自分の句の不十分な点を直すこと。そのためにはまずどこが不十分なのかに気づかなければならない。これもまた難しい。俳句を作った自分の目でいくら見直しても、おかしなところに気がつかないからである。推敲は必ず他人の目で行うこと。いくら推敲してもダメな句は発想がダメな句である。

友だちを花束にして卒業す　櫂

長谷川櫂（はせがわ・かい）　一九五四年、熊本県生まれ。俳人。東京大学法学部卒業、読売新聞記者を経て俳句に専念。朝日俳壇選者、ネット歳時記「きごさい」代表、俳句結社「古志」前主宰。『俳句の宇宙』で第十二回サントリー学芸賞、『虚空』で第五十四回読売文学賞を受賞。句集『沖縄』『震災歌集　震災句集』『九月』『太陽の門』、著書『子規の宇宙』『一億人の「切れ」入門』『俳句的生活』『文学部で読む日本国憲法』『俳句の誕生』『俳句と人間』『和の思想──日本人の創造力』など。

雅号・野球

復本一郎

正岡子規は、多くの雅号を持っています。本名は、正岡升《のぼる》です。雅号の中で獺祭書屋《だっさいしょおく》主人、竹の里人は、比較的よく知られているのではないでしょうか。

雅号というよりも、むしろ戯号《ぎごう》（戯作者などが使う雅号）と言った方がよいものの中の一つに「野球」があります。子規は、第一高等中学校時代、ベースボールに夢中になっていました。そこで、自《みずか》らの本名「升《のぼる》」をもじって「のぼーる」と名乗ったのであります。いかにも「ボール狂」子規にふさわしい雅号（戯号）ではないでしょうか。明治二十三年（一八九〇）ごろのことであります。

ベースボールが「野球」と訳されたのは、明治二十七年（一八九四）で、一高ベースボール部のマネージャー中馬庚《ちゅうまんかなえ》によるものであるとされています（惣郷正明《そうごうまさあき》・飛田《ひだ》良文《よしふみ》編『明治のことば辞典』参照）。

それはそれでいいのですが、子規は、明治二十九年（一八九六）に「日本新聞」（正しくは「日本」）に執筆していた随筆『松蘿玉液《しょうらぎょくえき》』の七月十九日付号に「ベースボール」の来歴のことを記しています。ところが、この記述が不正確だというので「好球生」と名乗る人物から投書があったのであります。子規は、その投書の内容を諾《うべな》い、三日後の同紙の七月二十二日付号の第一面に、その投書を掲出しています。投書のタイトルは「野球《ベースボール》の来歴」というのです。子規は、少なくともこの段階で、かつての自《みずか》らの戯号「野球《のぼーる》」が、「ベースボール」の訳語として流布しつつあることを知ったのであります。この件について、子規は一言もしていませんが、どんな気持がしたことでしょう。「ベースボール」を最初に「野球」と訳したのは子規である、と言っても、そんなに間違っていないようにも思われます。

バット握る子規の写真や獺祭忌　　鬼ヶ城

復本一郎（ふくもと・いちろう）　一九四三年、愛媛県生まれ。横浜翠嵐高等学校卒。早稲田大学大学院文学研究科博士課程修了。国文学者。文学博士。静岡大学教授を経て、現在、神奈川大学名誉教授。俳句集団「阿《あ》」の会代表。俳号、鬼ヶ城。著書（含編校注）に『子規紀行文集』『正岡子規ベースボール文集』（以上岩波文庫）、『笑いと謎―俳諧から俳句へ―』（角川選書）、『俳句と川柳』（講談社学術文庫）。『正岡子規伝―わが心世にしのこらば』（岩波書店）で第76回芭蕉祭文部科学大臣賞を受賞。公益財団法人神奈川文学振興会評議員。産経新聞〈テーマ川柳〉選者。

最優秀賞受賞作品

応募高校237校、応募数10,363通のなかから、
2022年11月7日に行われた選考会で決定した最優秀作品5作品です。

角崎良佳
秋田県・秋田北高等学校2年

百日紅引き戸のきしむ祖父の家

夏惜しむ潮の香りのする列車

レコードのノイズ優しき晩夏かな

（つのざき・よしか）私は日頃から、五感の共有が出来るような句を作ることを目標としています。この三句も、すべて私の感じた実体験に基づいてできたものです。今回選んでいただいて、私が伝えたいと思った瞬間を共有出来る句が作れていたのかなと思えて本当に嬉しかったです。これからも賞に恥ずかしくないような創作をしていきたいと思います。

作者のコメント動画

渡邉美愛
愛知県・旭丘高等学校3年

セーラーの襟憎らしき春の朝

実るなと掴む乳房や春嵐

同性の我らへ桜蘂落ちる

（わたなべ・みえ）変化し続ける時代の中で、私達は何を思い、どう生きるのか。そのような魂の自問が俳句という文学を形作っていると思います。人を、情景を、こころを有りの儘に詠むことが、ある種私の救いとなっています。命を終える瞬間まで、十七音の旋律に真摯に深く向き合える人間でありたいです。この度は、妙々たる賞を頂き、本当にありがとうございました。

※本人のご希望で顔写真は掲載しません。

作者のコメント
動画

大迫悠真
山口県・徳山高等学校2年

向日葵の群ゆれてゐる忌中かな
まつしろな空を見てゐる立泳ぎ

水浴びの象座りこむ敗戦日

（おおさこ・ゆうま）この度は最優秀賞をありがとうございます。本当に驚きました。そして私の心は嬉しさに満ち満ちています。さて、この作品について、私は「少年期の追憶」を意識しました。この光景を前にして私は一体何を思っているのだろうか、何を感じているのだろうか、そう自問する少年の心情をこの三句にしました。皆さんは、どう考えますか。

作者のコメント
動画

宇都宮駿介

愛媛県・松山東高等学校3年

「どちらでもない」ばかり選んで月朧

夏の野やいつか自分が入る墓

二ページで終わる戦争鰯雲

（うつのみや・しゅんすけ）この度は最優秀賞に選んでいただきありがとうございます。僕は俳句を通して沢山の知り合いができました。それが俳句のひとつの魅力であると思います。そういった俳句仲間とは互いの俳句を認め合い、普通の友達以上の絆ができたと思います。これからも俳句を続け、俳句の輪を広げていこうと思います。

作者のコメント動画

早川彰太郎
福岡県・西日本短期大学附属高等学校3年

泥汗の染むユニフォーム手洗いす

雪暗や土の重たきランニング

炎帝の弾丸スロー走者刺す

（はやかわ・しょうたろう）素晴らしい賞をいただき大変嬉しく思っています。私は、硬式野球部に所属しており、三年間の部活動の中で実際に体験したことを三句に詠みました。その時の情景や心情に一番マッチする季語を選ぶことに苦心しました。十七音という短い音数に自己を投影していくことで自分自身を客観的に見つめ直すことができました。

作者のコメント動画

選者賞受賞作品

最優秀作品決定後、選考委員の宇多喜代子、大串章、
恩田侑布子、長谷川櫂、復本一郎各氏が、
それぞれ最も推薦する作品として選んだ選者賞５作品です。

宇多喜代子賞

神谷茉子
神奈川県・神奈川大学附属高等学校2年

炎昼やいたラッパは鉄の味

春風よ肥えた重圧吹き飛ばせ

弟の匂いが変わる花火の日

（かみや・まこ）昨年の入選でいただいた講評をもとに、身近な情景を切り取った句に仕上げました。一句目はトランペットを吹いて血が出てしまった時、二句目は冬に蓄えた体重と学年が上がり増した責任の重さについて、三句目はそのまま句の通りの情景を詠みました。このような輝かしい賞をいただけて非常に光栄です。ありがとうございました。

作者のコメント動画

大串 章賞

鈴木綾乃
岩手県・水沢高等学校2年

二月や母のルージュをつけてみる

紙ふうせんつぶす弟の反抗期

亡き祖母の鏡を磨く良夜かな

（すずき・あやの）素晴らしい賞をいただき、ありがとうございます。日々指導してくださる先生方や短詩部の皆さんに、心から感謝申し上げます。日常の中の気づきを言葉で表現する楽しさが、俳句の魅力の一つだと思います。今回は、家族との日常に隠されている面白味や感動を表現しました。今後も楽しく俳句を作り続けていきたいと思います。

作者のコメント動画

恩田侑布子賞

里見直哉
神奈川県・神奈川大学附属高等学校２年

空統べる入道雲の凱旋や

葉を散らす瀑布打ち出す水礫

雲泥が交わる干潟ここにあり

（さとみ・なおや）今回、このような素晴らしい賞を受賞できて大変うれしくなりました。私は自身の俳句を自然の光景がはっきりと目に浮かぶようにするということに気をつけて作りました。一句目は夏の大空に浮かぶ入道雲が近づいてくる様子を、二句目は滝から打ち出る水が葉っぱを散らす様子を、三句目は干潟に空が映る様子を表しました。

作者のコメント動画

長谷川 櫂賞

渡邉美愛
愛知県・旭丘高等学校3年

いもうとの目は春天を映さない

白杖へ背丈届かず風光る

惜春やドレミの唄をなぞる指

（わたなべ・みえ）この作品は、世代も年齢も性別も関係なく、誰の胸にも届くような十七音を紡ぎたい、という祈りにも似た想いから生まれました。風化する前の感情を色鮮やかに、かつ実直に描き上げることを意識しています。憧れの俳人である長谷川櫂先生に自分の作品を見てもらい、また、評価して頂けるなど夢にも思っていなかったので、喜びで胸がいっぱいです。

※本人のご希望で顔写真は掲載しません。

作者のコメント動画

復本一郎賞

山本涼香　山口県・徳山高等学校3年

卒業式泣く約束を交はしけり

鼻水をすする送辞や猫柳

寄せ書きに無記名ひとつ卒業期

（やまもと・すずか）この度は素晴らしい賞をいただき、ありがとうございます。新設された選者賞の受賞をとても嬉しく思っています。この三句は卒業シーズンの一コマ一コマを丁寧に切り取って詠んだので、共感できる要素が多いのではないかと思います。高校卒業後も自分の持ち味を活かしながら楽しく句作に取り組んでいきます。

作者のコメント動画

第25回神奈川大学全国高校生俳句大賞選考座談会

第25回の選考会は、2022年11月7日、
神奈川大学みなとみらいキャンパスで行われました。
宇多喜代子、大串章、恩田侑布子、長谷川櫂、復本一郎の
各選考委員があらかじめ最も推薦する５篇（最優秀作品）に◎印、
推薦する65篇（入選作品）に○印を投票。得票結果を各作品の下に明記しました。
なお、宇多喜代子氏は都合により欠席であったため、
座談会は４名で行われました。
最優秀作品決定後、各選考委員から「選者賞」の発表がありました。
各選者賞の寸評も合わせて掲載します。

大串章氏

恩田侑布子氏

長谷川櫂氏

復本一郎氏

宇多喜代子氏

選考委員の先生方。大串章氏はオンラインで参加、宇多喜代子氏は電話で一部参加した。

選者からの
コメント動画は
こちら

捉え方の面白さと際立つ陰陽

1

向日葵の群ゆれてゐる忌中かな
まつしろな空を見てゐる立泳ぎ
水浴びの象座りこむ敗戦日

宇多◎　長谷川○
大串○　復本　○
恩田○

復本　先生方、お忙しい中ご参加いただきましてありがとうございます。それでは最優秀賞の選考会に入りたいと思います。ただいまから推薦の投票数の多い順に見ていきたいと思います。まず1。これは宇多さんが◎です。あとのわれわれが○を付けていて、合計五点ということになります。まず皆さんのご意見をお聞きしたいと思います。大串さん、いかがでしょうか。

大串　私が予選でいただいたのは、一番の「向日葵」の句と二番の「まつしろな」の句でした。三句目は、ちょっとよく分からなかったのでいただきませんでした。

復本　はい、ありがとうございます。それでは長谷川さん、いかがでしょうか。

長谷川　僕が特に感じたのは、二番の〈まつしろな空を見てゐる立泳ぎ〉で、海かプールかで立ち泳ぎしていて、空が白いという捉え方が面白いなと思いました。次に感心したのは〈水浴びの象座りこむ敗戦日〉。ただ「座りこむ」と「敗戦日」が分かりやす過ぎるかもしれない。

復本　はい、ありがとうございます。恩田さん、いかがでしょうか。

恩田　はい。私は、三句とも水準以上の句がそろっていて感心しました。中でもいいと思ったのは、一番の〈向日葵の群ゆれてゐる忌中かな〉です。これは向日葵というと普通はまさに向日性の花で、明るい真夏の太陽を思わせるのに、下五に「忌中かな」と置いたことです。陰陽の際立たせ方が上手だと思います。

復本　はい、ありがとうございました。私も三句ともいい作品だと思いますけれども、特に今恩田さんが言われたように、一番目の句の陰と陽の取り合わせといいましょうか、これは非常に面白いと思っていただきました。まずは皆さま方、特別の異論はないでしょうか。一応これを候補として残しておいて、次へと進みたいと思います。

高校生が詠むノスタルジー　2

百日紅引き戸のきしむ祖父の家　　宇多◎　長谷川○

夏惜しむ潮の香りのする列車　　大串○　復本○

レコードのノイズ優しき晩夏かな　　恩田

復本　次は2です。これは宇多さんが最優秀賞で取られていて、そして大串さん、それから長谷川さん、そして私が○ということであります。これも大串さんからお願いいたします。

大串　私は三句の中で一番好きだったのは、〈百日紅引き戸のきしむ祖父の家〉の句です。かつての自分の田舎のことを思い出したり、祖父の家を思い出したり、それから私の実家の庭には百日紅が今も毎年咲いていますので、いろいろな意味で身近に感じたといいますか、そういうことでこの句に一番心引かれました。

復本　はい、ありがとうございます。長谷川さん、いかがでしょうか。

長谷川　三句とも懐古的ですね。どれも過去を懐かしがっている句です。高校生だから懐古するに十分な年月は生きているわけですが、そこは考えるべきだろうと思うのです。一番懐古的だと思ったのは、三番の〈レコードのノイズ優しき晩夏かな〉です。レコードなんて今高校生たちが聞くのかどうか、そのノイズのパチパチいう音、それを優しいと捉える、ここがやはり懐古の極みだなと思いました。

復本　はい、ありがとうございました。私は、これはやはり大串さんと同じように一番ですね。〈百日紅引き戸のきしむ祖父の家〉という句が、何かこの作者の祖父に対する親しみというものがよく出ていてよろしいのではないかと思いますし、長谷川さんが言われたように、二番、三番も一種のノスタルジーといいましょうかね、そういうものが出ていて、これはこれで。ですから少年時代なんかをふと思い出した時に、十七歳、十八歳の青年になりかかっている、そういう年齢の作者が少年時代を思いやって、上手に三句にまとめているなという感じがいたしました。恩田さんはお取りでないですけどいかがですか。

恩田　はい。悪くはないと思ったのですが、何か最優秀賞に推すほどの突出した感性はそう感じませんでした。平凡によくまとめた句が並んでいまして、この中では一番の〈百日紅引き戸のきしむ祖父の家〉を入選に取らせていただこうか迷ったんですが、結果的に取らなかったのは、ノスタルジーというより、デジャビュというのかしら、既視感があるように思ったからです。三句ともどこかで見たような感じがします。決して悪くはないのだけれど、高校生の賞というよりも、大人のカルチャーセンターで、上手な方が作る句のような気がいたしました。すみません。

復本　はい。ありがとうございました。これを候補として残す分にはご異論はないですか。

恩田　ほかにつよく最優秀賞に推したい作品があるので、私はあまり……。

復本　はい、分かりました。

実感あふれる焦燥感と違和感

３
セーラーの襟憎らしき春の朝
実るなと掴む乳房や春嵐
同性の我らへ桜蘂落ちる

宇多　長谷川◎
大串　復本　○
恩田◎

復本　それでは次の作品に注目していきたいと思います。順にいきます。３です。これは恩田さん、長谷川さんが◎です。私が○ということでありますけれども、恩田さんからいきましょう。

恩田　これは、私がぜひ大賞に推したい作品です。最近ＬＧＢＴＱが話題になっていますが、その実感があふれて、たいへんリアルです。今まさに女性になってゆく自らの身体への違和感、どうしようもない焦燥感がうそいつわりなく生き生きと書かれています。

　特に〈実るなと掴む乳房や春嵐〉という句は、第二次性徴が現れて、それがもうますます服なんかでは隠しようがなくなっていくことに対する、この方の違和感と懊悩が鮮烈です。〈セーラーの襟憎らしき春の朝〉は、社会からは少女の清楚さの象徴のようにみられるセーラー服、男性に愛される女性らしさの役割を強要されることへの反逆精神ですよね。セーラー服そのものへの憎悪は表現としても新しいと私は思いました。〈同性の我らへ桜蘂落ちる〉というのも、同性同士何事も起こらない、ドラマがなかったことにされてしまう虚無感みたいなものが詠われていて、何も実らせず、乙女の時間を遅延させようとする学園生活へのにがにがしい思いみたいなものも感じて、非常に面白い三連作だと思いました。

復本　はい、ありがとうございました。長谷川さんも◎ですけど、いかがですか。

長谷川　俳句はどうあるべきかという問題について、いろいろ意見もあると思いますが、基本は「言いたいことを言う」ということですよ。次にそれをどうやって相手に伝えるかが問題になるわけです。この人の俳句は言いたいことを全部はっきり言っている。しかも過不足なく言えているところは、やはり評価すべきだろうと思います。特に二番〈実るなと掴む乳房や春嵐〉の、だんだん大きくなってくる乳房を憎むというのですが、「掴む」という言葉がこれほど強烈に使われている句はあまり見たことがありません。それと「春嵐」という季語も適切に選ばれていると思います。この句がしっかりできているから、一番の〈セーラーの襟憎らしき春の朝〉もよく分かってくる。自分のセーラー服、もともとは水兵服だから男の象徴なのだけど、今の社会の中では女性の制服とされている、そういうセーラー服神話に対しての憎しみがここに出ているわけね。

　それと三番は、誰か好きな女生徒と歩いていくと桜蘂が落ちてくるというんですね。これは淡々と詠んでいるところがいい。この人は将来、相当いいところまでいけるのじゃないかなと思いました。今回の一推しです。

復本　はい、ありがとうございました。私もいただいているのですけれども、私はこの三句の中の一句では、やはり二番の〈実るなと掴む乳房や春嵐〉という、これを特にいただいています。三句一つのテーマでまとまっているということでは評価していいかなという感じで○ということなのですけれども、〈同性の我らへ桜蘂落ちる〉ということで、桜の花びらではなくて桜の蘂が落ちるということで、この桜蘂というのもおそらく何かを象徴させているのではないかと思いまして、これを作品として残すことに対しては、結構ではないかと思います。お一人この三句を選ばれなかった大串さん、いかがでしょうか。

大串　これは、今の社会を如実に表しているのですけれども、三番の同性愛のことにしても、それから二番目のこのエロチックな句にしても、一番目のこの「憎らしき」という言い方にしても、何かわれわれ世代のものとしては、こういうテーマがどんどん俳句の中に入ってくるのは、何かちょっとこう、違和感を覚えますね。

　今日は宇多さんがみえてないのだけれども、宇多さんは私よりもうちょっと年上ですから、われわれの世代から見れば、こういうかたちのテーマが俳句の世界に増えてきたら、今まで先人たちが築き上げてきた俳句の文学というか文芸というか、そういうものがだんだんこう、崩れていくというか。もちろん大衆的になるのはいいんですけれども、エロチックであり、同性愛とかを、高校生に対して「優秀だよ」と言っていいのかなという不満もちょっと感じました。

復本　はい、ありがとうございました。大串さんが今言われたように、俳句としていかがかという一つのご意見と、私などは俳句の領域を広げていくということでは大いに結構ではないかと。こういう領域までよく俳句が踏み込んで、そして十七音にまとめているということでは、その一つの勇気というか冒険というか、そういうものを評価していいのではないかと思いますけれども、大串さんはやっぱり五作品の中に残すには反対と。

大串　今おっしゃった俳句の領域を広げるというのは賛成です。例えば今回の応募作品で言えば、非常にカタカナ文字の句が増えています。こういう形での俳句の世界を広げるということでは賛成です。

復本　まあ大串さんは反対でいらっしゃいましょうけれども、残して先へ進みましょう。

大串　はい。結構です。

冷めた姿勢の句がじんわりと響く

4
「どちらでもない」ばかり選んで月朧
夏の野やいつか自分が入る墓
二ページで終わる戦争鰯雲

宇多　大串　恩田○　長谷川◎　復本◎

復本　そして次が4です。これは長谷川さんと私が◎、恩田さんは○、そして宇多さんと大串さんは入れていらっしゃらない作品ですけれども、長谷川さん、いかがでいらっしゃいますか。

長谷川　この三句は今の学校や高校生の気風を表していると思いました。僕がいいなと思うのは三番の〈二ページで終わる戦争鰯雲〉です。例えば第二次世界大戦の話でも歴史の教科書なんか二ページで終わってしまう。そういう現実を出して、あとはごちゃごちゃ言わず、ポンと「鰯雲」と置ける、この作りはなかなかいいなと思います。

　一番の〈「どちらでもない」ばかり選んで月朧〉は、例えばアンケート調査でも「どちらでもない」ばかり選んでいく。自分たちが賛成か反対かはっきりさせるんじゃなくて、当たり障りないように生きているということがこの人はよく分かっているわけね。そこからどうやって抜け出すかまではいかないけれど、自分たちの現状はしっかり捉えている。ただそこに「月朧」と置いてしまうと付きすぎですが、今の高校生たちの気風が表れている句と思いました。

二番の〈夏の野やいつか自分が入る墓〉は「いつか自分が入る墓」なんてとんでもない幻滅の世界を描いています。ただこれもパッと読むと何と悲惨な考えをする人だという感じがするのだけど、こういう感じ方って今の高校生にあると思うのですよ。何か先が見えてしまっているみたいな。そういう時代にしてしまっているのは大人の責任なのですが、そういうふうに彼らたちは育ってしまったと思った句でした。

復本　はい、ありがとうございました。私もこの作品をいただいているのですけれども、三句を通じて言えることは、非常に冷めた姿勢ですね。それを私は評価しています。例えば〈今「どちらでもない」ばかり選んで月朧〉というこの「どちらでもない」という発言。それに対して月朧という、この季語が私は活きていると思いますね。それから〈夏の野やいつか自分が入る墓〉、これも冷めた姿勢の一つなのでしょうけれども、これは少し単純といえば単純なのですけれども。三句目の〈二ページで終わる戦争鰯雲〉というのは、これも戦争に対するどこか冷めたまなざしと言いましょうかね、そういうものを感じる。ですから一人の高校生の一つの在り方、おそらくこんな高校生もいるのだろうなという。そういう点では、しっかりと自己を持っている、どちらでもないと言いながら、しっかりと自己を持っている、そんな高校生像が浮かんできて、私は好きな作品でありました。恩田さん、いかがですか？

恩田　はい。私も、三句とも水準以上、粒揃いと思いました。特に〈二ページで終わる戦争鰯雲〉は、全体を通して戦争詠が何か今年は大変少なくなっているのですが、しっかりとこの人なりの戦争詠、しかも新しい視点での戦争詠を打ち出されたところは立派だと思いました。教科書にたった二ページで終わらせてやんの、みたいな、そういう冷めた感覚がすごく現代的です。きっとこの人はやっぱりそんなものじゃないよ、第二次世界大戦は、という気持ちを持っておられる、この現代にまで影響を及ぼしているのだから、二ページなんかで終わらせちゃたまらないよな、みたいな、そういう思いが言外に感じられて、大変誠実で健全な批評精神を持っている若者だと思いました。

　そして一番の〈「どちらでもない」ばかり選んで月朧〉というのも、保留、保留、何でも自分の意見をあまり目立たせたくない、隠れたい、目立って人から何か言われたくないみたいな、この現代の気風というものに対する風刺がやっぱり利いているのじゃないかなと。二番目も〈夏の野やいつか自分が入る墓〉で、十代でこんなふうに見通せちゃったら人生どうなるのだろうなってちょっと心配にはなりますけど、その冷めた姿勢が三句とも共通しているので、大変作家として面白い、個性的なものを感じました。

復本　はい、ありがとうございました。宇多さん、大串さんが選んでいらっしゃいませんけれども、大串さん、いかがでしょうか、この作品は。

大串　一番と三番は、今の現在の社会の情勢をよく示していると思うのですね。例えば安倍首相の国葬、賛成ですか反対ですかと言われて、賛成が何パーセント、反対が何パーセント、どちらでもないが何パーセント、そういうようなアンケートを思い出しますけれども、これは今の世の中、いろいろな人の考え方がそれぞれに出ていて、今の時代を表しているのかなと思いますね。

　そういう中でちょっと古くさいのが、二番目の〈夏の野やいつか自分が入る墓〉という句ですが、私は個人的にはこの二番の「夏の野や」に、予選では印を付けております。平凡だから凡作ということではなくて、庶民の気持ちとしてはこういうことを思う、人間としては当たり前、ごく普通ということを一句にきちんと詠い込むというのはいいのじゃないかと。例えばこれが「枯れ野に」とか何とかということですと、いかにも作り物に見えてきますけれども「夏の野や」というと、何か大自然と身体がこう一体化しているというような、死をあまり悲観的に見ないで、生きている間は自分の人生を全うする。死んだら死んだでそれは受け入れる、そういうようなところが表れていて、平凡だけれども何か心にはじんわり響くところがあるのじゃないかと思って、二番だけに印を付けました。

復本　はい、ありがとうございました。

長谷川　ひと言いいですか。この二番の句は「いつか」という言葉がちょっと間延びさせているのですよ。ここにいる選者の世代だと、「明日は自分が入る墓」ですよ。その方がずっと迫力あるしリアリティーがあるのだけど、高校生だからあすはとは思わない。そういう意味で、仕方ない「いつか」かなという感じがしましたね。

復本　そうですね。

大串　やがて自分もという感じなのでしょうね。

長谷川　そうですね。

大串　やがてそのうちに。

復本　ええ。われわれだったら明日はという感じでしょうね。（笑）

大串　私なんか今日はという感じですよ。

一同　（笑）

復本　だから「夏の野」という季語が生きていますよね。

長谷川　生きてる。

大串　これ、生きていると思いますよ。何か作り上げた決まり切った知恵の思いじゃなくて、夏の野という、何か自然と一体化するのだと。亡くなった後ですね。そんな感じがしました。

復本　はい、ありがとうございました。これは大串さんとしてはご異論はないですか。

大串　皆さんのご意見に従います。

復本　はい、ありがとうございました。

臨場感が光る重量級の三句

5

泥汗の染むユニフォーム手洗いす
雪暗や土の重たきランニング
炎帝の弾丸スロー走者刺す

宇多　長谷川◎
大串　復本　○
恩田◎

復本　それでは最後の三点句で、5です。これは恩田さん、長谷川さんが◎で、私が○。宇多さん、大串さんが入れていないという作品です。まずは恩田さん、いかがですか。

恩田　はい。全体の中で大変貴重なスポーツ詠だと思いました。運動部に打ち込んでいる男子生徒と思われる作品で、しかもたぶん結構寒い、北国に住んでいる。「雪暗」と「土の重たき」っていかにも冬は暗鬱な雪国で、東北とか北海道とかの地域性と、身体感覚で捉えた風土性も感じました。

　一番いいと思ったのは、三番です。〈炎帝の弾丸スロー走者刺す〉という場面は、私はスポーツにすごく弱いのだけれども、たぶん、盗塁とか進塁を狙って必死に走っていくのに、相手の敏腕はそれを許さないで刺されてしまったのでしょうね。それを「炎帝の弾丸」と言ったところがすごくて、この措辞に私はノックアウトされました。「炎帝の弾丸」の容赦のなさ、ひいては灼けつく炎天の容赦のなさが、何か深読みかもしれませんが、人間の運命まで思わせます。「炎帝の弾丸」を運命の重さまで感じさせる、力のこもった隠喩にした手腕にまず脱帽したのですが、あとの二句もやっぱりそれぞれ手堅い作品で、「泥汗の染むユニフォーム」までだったら言えるのだろうけれど、自分の日常生活にちゃんと着地してそれを「手洗い」するんだよと言っているところ、非常に共感を呼ぶのではないでしょうか。

次の〈雪暗や土の重たきランニング〉という句も、雪空、雪催いの空の下で、もうじき本当にもう外でランニングなんかできない真冬の雪国になってしまうところで、すでに一度か二度雪が降って、この人は、そのじめじめした土の重たさで、靴底が重たくなってしまう中を最後の外のランニングをしているのでしょう。非常に臨場感があふれて、この方の孤独な頑張りが見えてくるので、私はこれは最優秀賞に推して差し上げたいと思いました。

復本　はい、ありがとうございました。長谷川さんも◎ですけれども、いかがですか。

長谷川　三句ともずっしりした句で、詠んでいる内容も詠み方も共に重量級ですね。今の高校生というと軽い言葉、チャラチャラした言葉は結構聞くのだけど、こういう重い言葉を発することができる高校生は一体どういう人なのだろうという興味もあります。

一番はちょっと面白い言葉を使っています。「泥汗」なんて普通は言わないのだけど、泥と汗がにじんでいるユニフォームという意味で使っている。「泥と汗染むユニフォーム」といってもいいんですが「泥汗の」ともってくる。この言葉の使い方も句の重さにふさわしい。「泥と汗」というとやや軽くなるけど、「泥汗の」というとずしっとする。

二番は雪暗という季語を使っています。雪の降る前の暗い感じ、雪催いの北国の空模様を言うのですが、それを足にくっつくぬかるみの重たさに転じている。

三番は、「炎帝の弾丸スロー」とここまで続けて読むのじゃないですか？〈炎帝の弾丸スロー／走者刺す〉という、こういう言葉を並べてどっしりと描いていく、こういうことのできる人ですね。どういう高校生だろうかと思います。男女両方考えられますね。

復本　はい、ありがとうございました。私も◯でいただいているのですけれども、スポーツ、具体的には野球でしょうね。野球で三句をまとめているというところが、まず面白いなと思いました。それと一番の「手洗い」という措辞、あるいは二番の「土の重たき」という措辞、それから三番の「炎帝の弾丸」という措辞、それぞれ的確に表現されている作品だと思いました。

三番については、長谷川さんが言われた「炎帝の弾丸スロー」、私もそう読んだ方が、スロー走者だと遅い走者を刺すのは当たり前ということになるので、球の方が結構そんなにビュンと投げて走者を刺したというのではなくて、結構肩が弱い選手かもしれません。その肩のやや弱めのこの守備選手が走者を刺したという、その面白さでしょうね。全体、野球というスポーツを的確にそれぞれ把握しているということで、面白い作品だし、五作品の中の一作品として、あまり今までにスポーツの作品は詠まれてなかったですよね。その詠まれてないというか、予選に上がってくることがなかったのですけれども、この句はそういう意味でも注目してよい作品ではないかと思いました。

　大串さん、お取りになっていらっしゃいませんけど、いかがですか。

大串　そうですね。どこで切れるのか、ちょっとよく読んでなかったところがあるのですけども、例えば三句目ですと、「スロー走者」と私は読んでしまったのですけれども、弾丸スローとそこを続けて炎帝と結びつけるのか、その辺ちょっと迷って、自分が迷ったために取らなかったということです。二番は想像力を含めて、雪暗の感じは出ていると思いました。一番は、最も分かりやすい句だと思いました。だけど特に取るという印は付けておりません。

復本　はい、ありがとうございます。残す分にはご異論はないですか。

大串　これは結構です。異論はございません。

復本　ありがとうございました。

長谷川　ソフトボールかもしれないですね。

最終選考

復本　以上で五作品なのですけれども、先生方の意見が異なる二作品ほどありまして、２ですね。恩田さんが反対だった。少しクラシック過ぎるということでしたね。

恩田　はい。やや平凡なように思いました。

復本　それからもっと意見が異なったのは、さっきの３でしたね。

恩田　これはぜひとも最優秀賞にして差し上げてほしいですけど。

復本　このセーラー服の女子学生の同性愛と言いましょうか、それを詠んだ作品です。これは大串さんから反対の意見が述べられましたけど、いかがでしょうね。私は一つの時流というか、今の時勢というか、そういうものをしっかりと自らの身の内に取り込んで、勇気ある発言と言っていいのではないかと思いますけどね。

長谷川　この問題は世代によって見方が相当違うと思います。今、大串さんは一つはこういう風潮、こういう題材が俳句に入ってくるのは好ましくないと言われ、もう一つは高校生にこういうものが広まるのはよろしくないと言われた。俳句と生活、二つの観点から話をされたのですが、俳句の面、こういう素材が俳句に入ってくるのはどうかという点について言えば、俳句の世界を広げるだろうと思うのです。俳句は何でも詠めるということですね。

　もう一つの生活の面についてのご意見は、こういう風潮が高校生の間に広まるのを公認することになるのではないかということですが、公認するしないに関わりなく、同性が好きだという高校生は、男でも女でも大勢いるわけですよ。そういう人にあなたたちは駄目なのだから改めなさいというのじゃなくて、人を愛することは相手が誰であれ、すばらしいことと伝えるのは大事なことではないか。これは当然のことなのだけども、この意味でもこの俳句は入れた方がよいと思います。

　何よりも僕が言いたいのは、やっぱりこの人は自分の言いたいことをしっかりと言っていますよ。優等生がやるように妙に俳句の約束事と妥協しながら、例えば季語はなんだとか、かんだとか、そういうことを考えながら作るのじゃなくて、この人の俳句には自分の言いたいことが基本にあるという点を大いに評価したいと思います。

復本　はい、ありがとうございます。

大串　ひと言、言いますと、その自分の言いたいことを言うというのは基本としていいと思うのですね。それは私も大賛成なのです。ですから高校生の皆さんが自分の詠みたいのを詠むということは、これは推奨したいと思いますね。ただその中で、こういうちょっと極端に言えば、エロチックな句を推薦するというのはいいのかなというのが、ちょっと私は気になるのですね。同性愛にしても話題が大きく取り上げられて、高校生にこういうのを推奨するというかたちになるのは、私はどうしても何か躊躇してしまうのですね。
　三人の方が◎や○をいただいておられて、二人の選者が選んでないというその二人、宇多さんと私が選んでないというのが何か三作品か四作品かあるのですよね。年代を感じますね。実は私は昨日満八十五になったのですが、宇多さんは私よりもうちょっと上ですね。
復本　八十七くらいになられるのですよね。
大串　そうしますと何かやっぱり若い皆さんと言うと失礼かも分からないけど、世代の差を私は感じますね。要するに文学、文芸の世界、特に小説とか短歌とか俳句の世界の中では、いろいろなその思考するところがそれぞれあるわけですけれども、そういう中で、世間一般的に取り上げられているこういう同性愛とかそういうものが、俳句の題材として選者が高校生に推奨するというのはちょっとやっぱり何か気にしてしまうのですよね。
復本　大串さんが思っていらっしゃるほど、この句はエロチックでも何でもないですよ。
大串　そうそう。そう思う時代になってきているのですね。今は。
復本　ごくごく当たり前のことを、この作者は勇気を持って発言したのだと思いますね。
大串　そう思う人がだんだん増えていると思いますが、俳句の世界ではそういうところに引きずり込まれていくのはいいのだろうかという感じがするという。これも古くさい言い方だというのが分かりながら、私はあえて言っているのですけどね。ですけど、三人の方がやっぱり推薦されるということについて、私はとやかく言う立場ではないというふうには思っています。

復本　はい。ありがとうございます。

恩田　私は、全くエロチックじゃないと思います。この人にとっては本当に率直な現実の感覚を素直に詠ったまでで、私はどちらかというと復本先生が勇気を持って詠ったとおっしゃるけど、別にそんなこともなくて、淡々とね。この方はごく普通に本当に素直に自分の違和感を吐露しているだけであって、何もエロチックでもないし、そんな特別大げさなものじゃなくて。

　だって世の中に十パーセント近く、いわゆるマイノリティーがいると言われていますでしょう。そしてもう先進諸国では同性婚がどんどん認められているではないですか。日本ではまだ同性婚は認められてないですけど、私は認めるべきだと思います。人の好き好きは全く自由、個人の自由なのでね、いいと思うのですけど。ですから公序良俗っていっても、いわゆるマジョリティーの公序良俗だけで運営していってしまうと、マイノリティーの人たちの大変美しい花園というものがなくなってしまう。それは非常に俳句という文芸の中で惜しまれることではないかと思うのです。

復本　この句が公序良俗に反するなどということは全くないですよね。
恩田　はい、もちろんです。
復本　ただ、私はやっぱり先ほど勇気ある発言というか形象と言ったのかもしれませんけど、そうなるとやっぱり大串さんと私と恩田さんと、世代の違いで、私はよくぞ詠んだと、あっぱれみたいに思うのですけど、恩田さんになるともっと肩の力がすっと抜けてね、そんなものは当たり前のことなのですよという、それはそうなんでしょうけどね。だから選者の世代によってちょっと違いがあるかもしれませんけど、私はこの作品を五作品の中の一作品に取ることには違和感はないですね。
大串　おっしゃっていることはよく分かるのです。まさに復本先生は、ちょうど恩田さんと長谷川さんの世代と、宇多さんと大串の世代の中間なのですね。
復本　そうなのですね。
大串　ですから世の中がこういう世の中になってきているというのは私も分かるのですよ。で、俳句にそれを取り上げるのは自由だけども、それを選者たる者が推薦するということには違和感を覚えるということなのです。
復本　よく分かります。
大串　詠まれること自体に反対とかそういうことを言っているのではないですね。

恩田　でも文芸作品として優れていると思います。際立って優れていませんか。

大串　うん、そこはもう立場の違いでしょうね。

恩田　俳諧自由ですから。非常に優れた作品だと思うのですよ。同性愛やトランスジェンダーを、それが日常となった大人になってから詠った作品と違って、この俳句は今まさにこの自分の身体が、意に反してどんどん女性に向かって変化していくのをリアルタイムで詠っています。こうしたテーマで今までにない鮮度の高い俳句だと思うのですよ。この今、現場、その現場にいる十代が、俳句という文芸の中でリアルタイムに詠ったインパクトがあります。同性愛とか自分の戸籍は女性で生まれたけど、この人は違和感を持っているわけでしょうね。そういう変化していく渦中で生まれた作品として非常に希少性の高い俳句なので、私は落としたくはないなと、掬い上げてあげたいなと思います。

復本　はい、ありがとうございます。ですからお二人の俳人のご発言を聞いていまして、俳人外の私としては、大串さんの世代だと俳句はかくあるべし、というような、そういう考えがあるのだと思うのですね。

大串　いや、そんなことないですよ。俳句は自由です。

復本　（笑）。ところが恩田さんだと、何でも俳句だと。俳句はかくあるべし、などと思ってはいけないので、全てが文学として認められるか認められないかという、そういうことなのだろうなと思うわけであります。私は俳句の読み手として、こういう俳句も当然あっていいのではないかという思いがいたしております。

大串　私は、あるのはいいけども、高校生俳句大賞の最優秀賞に推奨するというのは違和感を覚えるということです。

復本　よく分かりますよ。だからここでこれが認められるか認められないかということは、非常にオーバーな言い方をすれば、俳句の方向性みたいなものに関わってくるというのが大串さんですよね。

大串　そうです。俳句が大きく変わっていくのじゃないかという感じがしますね。しかしこれはここで議論しても結論は出ないわけですから、先に進んでいただいて結構ですけど。

復本　はい。ということで、これでもしこの五作品、大串さんの反対のご発言ということを重く受け止めながらも、最終的には恩田さん、それから長谷川さんが強く推し、それに、私もいいのではないかということで、この作品を五作品の中の一作品として決めてもいいように思いますけどね。大串さん、ご異論があるでしょうけれども。

大串　宇多さんがいらっしゃったらどうおっしゃいますかね。

復本　それは本当ですね。電話でお尋ねしたいような。宇多さんに委ねますかね。お聞きしてみましょうか。電話でお聞きしてみましょうかね、今。これこれの問題になっているからということで。駄目よこんなの、とか言われるかもしれないけど。

長谷川　駄目よと言われたらどうするのですか。

復本　駄目よと言われたら、もうこれは。

長谷川　入れない。

復本　ううん、難しいですね。

大串　そうすると宇多さんが駄目だと言ったら、恩田さんと長谷川さんはオッケーですから二対二になりますね。

復本　はい。

大串　先生は両方に一応理解を示す立場だから。

復本　そうそう。

大串　どちらかに旗を揚げたらそうなるわけです。

復本　だから宇多さんのご意見はお聞きした方がいいですね。

大串　復本先生、聞いてください。

復本　もしもし、ご体調を崩されて、お休みのところをすみません。復本ですけれども。ご無沙汰しております。ごめんなさいね、お電話して。あのですね、今、選考会なのですよ。それで、宇多さんのご意見をぜひともお聞きしたいということで、今読み上げていいですか、三句。〈セーラーの襟憎らしき春の朝〉〈実るなと掴む乳房や春嵐〉〈同性の我らへ桜蘂落ちる〉というこの三句。この三句を入れるべきか入れるべきでないかということで。

大串 このような作品があるのは構わないが、最優秀作に推薦するのは躊躇すると言っているのです。俳句の未来を担う高校生の句に、乳房や同性愛など性に関わる句が増えてくると、俳句の未来がちょっと不安です。

宇多 どうでしょうね。高校生らしさとか、高校生としての模範例とかの句ではないかもしれませんが、高校生の年齢の自然が出ていていいと思いますね。

復本 ただ、この一作品を五作品の中に入れるには、強くは反対なさいませんか。いいんじゃないの、みたいな感じですか。

宇多 私は強く反対はしません。当節だしね、別にそう問題になるような内容でもないし、清く正しく美しくばかりでもないし、強くは反対しません。

復本 そうですか。

宇多 どうしても全体のバランスから考えて、突拍子もなくちょっといつもと違うなということが気になるようだったら他の方を入れていただきたいけれども、この程度だったらいいじゃないですかね。どうでしょうね。

復本 今ですね、これを強く推していらっしゃるのが長谷川さんと恩田さんなのです。

宇多　私は推します。強くではないけど、まあ推しますね。

復本　私も強くじゃないというか、私も推しているのですよ。○でね。で、大串さんがやっぱり。

宇多　大串さん、タイプじゃないでしょう。私はそれは何となく分かるけれども、今読み上げたくらいの句はあっても悪くないと思うな。

復本　そうですか。

宇多　はい。これ賛成です。

復本　はい、ありがとうございます。ご療養中のところどうも申し訳ありませんでした。

宇多　いえ、どういたしまして。

復本　ありがとうございました。ごめんください。

　ということで、皆さまお聞きいただいていたと思いますけれども、宇多さんは反対ではないと、いいのではないかということであります。文学の世界に多数決を持ち込むことはけしからんことなのでありますけれども、大串さんにご理解いただいて、この作品を五作品の中に入れさせていただいていいでしょうか。

大串　私はさっきから言っているように、こういう俳句を作ることに反対と言っているのではなくて、予選通過三百作品の中から五作品を選ぶところにこれを入れる価値があるのかということなのですよね。

復本　はい、分かります。

大串　高校生にもっと俳句の世界を広げてもらうにしても、他のところにいくらでも広げないといけないことがあるわけです。自然破壊の問題や日本の限界集落の問題など、もっと違う方向に若い人たちに広げていっていただくと私はありがたいと思います。

復本　はい。大串さんのご意見、私もよく分かるのですけれども、まあここに集まっている、あるいは宇多さんのご意見も考慮して、文学としての俳句として。そうするとまた大串さんからご意見が出ちゃうかもしれませんけれども、ともかくも文学としての俳句ということで入れさせていただくと、ちょうど今われわれが検討してきた五作品で落ち着くのでありますけれども。長谷川さん、ご意見はありますか。

長谷川　はい、異議ありません。これくらいの俳句でびくびくするなと言っていたのがいかにも宇多さんらしかったと思いました。ここでのやりとりは全部本に載りますよね？

復本　載るのです。

長谷川　だから大串さんの言われた意見は全部本に載るので、お考えは読者にきちんと伝わると思います。

大串　ああ、そうですね。そういう意見もあるということはちゃんとこう。

長谷川　はい。

復本　活字に残してこういうことだと、一つの基準としてね。この俳句がいいか悪いかということは、大串さんの大切なところとして記録されますので、よろしくお願いいたします。

大串　はい。

復本　これで最優秀作品五作品の選考が終わったということであります。大串さん、よろしゅうございますか。

大串　はい。

選者賞寸評

宇多喜代子賞

炎昼や吹いたラッパは鉄の味
春風よ肥えた重圧吹き飛ばせ
弟の匂いが変わる花火の日

三句それぞれが固有の景を見せてくれる、まずそんな楽しみがあります。「炎昼や」の暑さと、鉄というモノの持つ暑さ、その暑さが絡み合ってラッパの音をうまく表現しています。二句目、穏やかな「春風」に難しいことを呼びかけているおもしろさがあります。他季の風ではこのおもしろさは出ません。三句目、弟にまとういささかの男の匂い。少し成長した弟に気がついたのです。弟を愛しくおもう気分が伝わる句です。（宇多喜代子）

大串 章賞

二月や母のルージュをつけてみる
紙ふうせんつぶす弟の反抗期
亡き祖母の鏡を磨く良夜かな

一句目。高校生になり母のルージュをつけてみる。生まれて初めてつけるルージュ、感慨深い。二句目。弟もそろそろ反抗期、好きだった紙風船をとつぜん破ったりする。そういえば自分にもそんな時期があった。三句目。亡くなった祖母が愛用していた鏡を磨きながら、優しかった祖母を偲んでいる。祖母、母、弟を思いながら詠んだ三句、家族の絆を感じさせる句で惹かれる。（大串 章）

恩田侑布子賞

空統べる入道雲の凱旋や
葉を散らす瀑布打ち出す水礫
雲泥が交わる干潟ここにあり

ダイナミックな動感と、はちきれる勢いの三句です。「入道雲」が空を統べ凱旋する胸のすく景。「葉を」け散らす大滝の水飛沫。轟々たる水量に揉まれる若葉の清冽さ。なかでも

「雲泥が」は秀抜。泥と夏雲の鬩ぎあう大干潟が目路の彼方までひろがり、さらに「雲泥の差」という慣用語を大胆にも逆手に取って「我こそ大いなる懸隔と分断を溶かす大干潟なり」と宣言します。大景と自画像が一瞬に入れ替わる面白さ。斬新な視点は追随を許しません。（恩田侑布子）

長谷川 櫂賞

いもうとの目は春天を映さない
白杖へ背丈届かず風光る
惜春やドレミの唄をなぞる指

蓋をあけてみると、私の選者賞は最優秀賞作の一つと同じ人だった。最優秀賞作は恋愛、選者賞は妹、テーマは異なるもののどちらも心に訴えかける作品だった。高校生の限界をはるかに超えているが、高校生でなければできない俳句である。これほどの可能性をもつ人を俳句に引き止めるべきか。もっと広い世界へ送り出すか。それは本人の選択に任せるしかないが、どう進もうと時代の流れには距離をおいて、自分のやるべきことをやってほしい。

（長谷川 櫂）

卒業式泣く約束を交はしけり
鼻水をすする送辞や猫柳
寄せ書きに無記名ひとつ卒業期

復本一郎賞

山本涼香さんの〈卒業式泣く約束を交はしけり〉の句に窺える「斜に構えた」（正面から対応せず、皮肉な態度をとる。『広辞苑』）形象化こそ、俳句にも引き継がれている俳諧本来の特質です。クールな姿勢です。卒業式といっても、別段、感傷的にはなれないのです。だからこそ……。そんな目指《まなざし》で見るので〈鼻水をすする送辞や猫柳〉の光景は滑稽ですし、〈寄せ書きに無記名ひとつ卒業期〉に垣間見られる人物を共感し得るのです。（復本一郎）

活発な議論が繰り広げられた選考会。今年は、オンラインや電話での参加を交えて行われた。

入選作品

計61名、68作品が選ばれました。
同一作者の2作品目以降には★印を付けました。
各作品に村井丈美氏の寸評を付けました。

笹村舞子　北海道・旭川実業高等学校2年

峠越すバスを待ちたる白日傘

日の盛り何度も祖母を振り返る

文机に影映りたる良夜かな

①日に何本もないであろうバスを待つ白日傘。おそらく、周りに建物などない場所で容赦ない日差しにさらされているのだろう。②日の盛りだというのに、いつまでも自分を見送ってくれる祖母。お互いの名残り惜しむ気持ちが伝わる。③名月のつくる影が文机に映る。ただそれだけだが、静けさ、清潔さに満ちている。

冨樫　煌　北海道・旭川東高等学校3年

ベンチみな制汗剤の匂いして

応援のテンポ速まる草いきれ

スーツケースの中はまだ甲子園

①汗臭い運動部員のイメージを払拭する一句。しっかりとケアしているのだ。芳香の漂うベンチ。②草いきれのする会場での地方大会か。予選を突破して全国大会へ、応援の気合も十分。③無季だが、前二句からすると夏の大会だろうか。思い出の詰まったスーツケースはまだそのまま。下五の省略が効果的。

冨樫 煌　北海道・旭川東高等学校3年 ★

白樺の中の舗道や春の雨

夕霞古墳の二つある盆地

小鳥来てカーナビのやや遅れたる

…………………………………………

①明るい雨が白樺の芽吹きを促す。きらきらと濡れた舗道を行く静かな散策。②夕霞のなか、高いところから見るぼんやりとした景を前に、古へ思いを馳せる作者。この盆地でかつてどんな出来事が繰り広げられたのか。③小鳥のやってきた空の、その上の衛星からやや遅れてやってくる情報。空には様々なものが飛び交っている。

葛西麟太郎　青森県・弘前高等学校3年

三点差追う一振りや青嵐

髪洗う世界は闇に閉ざされて

空欄のなき答案や十月来

①一打同点のチャンス。応援する者もいっしょに闘っている。青春を象徴するような季語が存分にはたらいている。②目をつぶり髪を洗いながら、平和からは程遠い世界のことを思う作者。髪を洗える平和をかみしめながら。③解答欄を埋めきった充実感。秋の深まりとともに、一つの通過点を超えた思いなのだろう。

小島わこ　青森県・弘前高等学校2年

七月を踏み締めてローファーの黒

竜淵に潜み目の合ふかもしれぬ

人の死ぬ本を避けたる良夜かな

①夏休みも近く、楽しいことが待ち受ける七月。それを踏みしめる黒い靴は、克己心の象徴か。強い意志が感じられる。②秋分の頃、収穫を見届けて淵に潜む竜。竜は去ってしまったので、目の合うのは誰とだろうか。読む者の想像を掻き立てる一句。③人の死ぬ話を遠ざけ、名月を存分に味わいたいのだろう。

小島わこ　青森県・弘前高等学校2年 ★

ギア上げて挑む坂道七月来

おかえりのやうに匂ひし秋刀魚かな

寝なさいと言う人のなく良夜かな

①気合十分の作者。夏は挑戦の季節。坂道はその象徴だろう。②焼秋刀魚のよい匂いに迎えられ、ほっとする瞬間。夕飯を用意して自分を待つ人への思いが感じられる。「おかえりのやうに」の比喩は秀逸。③家に誰もいないのか、それとももう大人扱いされているのか。作者と名月だけの静かな夜が更けてゆく。

千田大和　岩手県・花巻北高等学校2年

ブランコを一年生に譲る朝

花冷えや優先席に一人きり

会場を睨む新入生代表

①俳句は一人称の文学だが、小学校の景か。入学したての一年生にブランコを譲る優しい上級生。授業前の一こま。②優先席にぽつんと座る作者を、ひんやりとした空気感が包む。軽い愁いが感じられる。③これから全校生徒、教員、来賓の前で挨拶をするのだろう、自分を奮い立たせて。眼差しに気概が感じられる。

小野寺羽奈　岩手県・水沢高等学校3年

夕虹や瀬戸の匂いの旅鞄

革靴に深き皺あり秋の風

飛行機の加速秋の雲近づく

①匂いの喚起する夏の思い出にふける。虹も匂いもやがて消えてしまうが、思い出は色あせない。地名が効果的。

②自分とともにあちこちへ出かける靴。秋風のなか、ふと目をやった深い皺に、歩んできた日々を思うのだろう。

③旅の帰りだろうか。飛行機の窓から見た雲はもう秋の雲。足早に季節が過ぎていく。

菊地真帆　岩手県・水沢高等学校3年

大西日古本に煙草のにおい

夕立や祖父の心電図の波形

味の濃い父の手料理暮の秋

①手に取った古本のにおいに、元の持ち主への想像が膨らむ。西日の熱で、一段とにおいが強まったのだろう。②祖父の病状を心配する作者。激しい夕立がいっそう不安を募らせる。③父の味付けにすこし不満を抱きつつも、父の思いを受け止めて何も言わずに食べる作者。秋ももうすぐ終わる。

櫻田樹里　岩手県・水沢高等学校2年

風光る団地の廃墟の壁に苔

草いきれ鉄骨むき出しの廃墟

炎昼や区画整理の白き柵

①季語の明るさで、廃墟の光景が一段と荒《すさ》んで見える。壁の苔までよく観察できている。②打ち捨てられた建物と、繁茂する草。その対照が面白い。ここに新しい建物が建てば、草は刈られる。人間と自然の攻防。③炎昼の灼けつく陽射しのなか、白い柵がいっそう白く輝いている。めまいするような夏の情景。

鈴木綾乃　岩手県・水沢高等学校2年

風薫る水筒に傷ひとつ付け

レモン水飲む心臓冷えるまで飲む

晩夏光ピザには粗き焦げ目あり

①どんな経緯でついた傷なのだろう。季語から、あまり暗い気持ちにはなっていないように思えるのだが。②全身の渇きを癒すのを「心臓冷えるまで」と表現したところが眼目。字余り、「飲む」の繰り返しにも工夫がある。③石窯の直火でついた焦げ目か。「粗き」で野趣をうまく表現できている。

鈴木綾乃
岩手県・水沢高等学校2年 ★

十六夜やごみ箱に死亡欄の紙片

赤紙の文字こまごまと空っ風

隙間風今も何処かは戦時中

---

①亡くなった人も、亡くなった事実もどんどん過去のものとなる。十六夜は時の移ろいを示しているのかもしれない。②博物館で見たのだろうか。「赤紙」、つまり召集令状の細かい文字にまで着目してリアリティが生まれた。③平和な暮らしを送りつつ、止まぬ戦火を思うと隙間風が吹くように心がつめたくなる。

及川華凛　岩手県・水沢高等学校1年

凍星や救急車の音止む我家

冬の月担架からみえる母の腕

お見舞いと鈴蘭渡す友がいて

---

①最後に「我家」を置いた工夫で、一気に緊張感が生まれる。②母の腕だけが見えていて表情が見えない。作者の不安が伝わってくる。①と同様、冬の天体の冷たさから緊張感が伝わってくる。③作者の気持ちに寄り添ってくれる優しい友達。ただ②の母の見舞いなのだとしたら、鈴蘭は初夏の花なので、ずいぶん長い療養生活になる。

及川華凛　岩手県・水沢高等学校1年 ★

父と吹く草笛の音とぎれがち
夏の星賢治の声がきこえくる
草いきれ音の外れた応援歌

①父から草笛の吹き方を教わっているのだろうか。何気ない景から親子の情感が伝わってくる。②夏の星の下、賢治の世界へ誘われる作者。「声がきこえくる」と言い切ったことで、作者の賢治への思いの深さが感じられる。③夏の盛り、少々音が外れても、思いを一つに選手へパワーを送る。まさに青春。

引地佳歩　岩手県・水沢高等学校1年

沈黙や祖母と実梅のへたを取る

姉は恋しているらしい雨の月

夫婦喧嘩我は黙って葡萄食う

---

①祖母のレシピを、無駄口をたたかず、真剣に手を動かしながら学ぶ様子がわかる。②楽しげなのか、物憂げなのか、いつもと違う姉。雨で名月も見えず、ちょっと寂しい気分。③両親の喧嘩か。はっきり主語を立て、作者は距離を置いている。ただ、葡萄を食べながら心を落ち着かせているのかもしれない。

伊藤萌恵　福島県・葵高等学校2年

焼けた空入道雲をキャンバスに
片恋や追憶の君と秋の風
夏が過ぎ付箋の増えた参考書

①真っ白なキャンバスに見立てた入道雲に、焼けた空の色が映る。その瞬間をしっかりと詠みとめた。②不在の君を、追憶の中に探す。しかも片思い。季語もあいまって、切なさが一句に結晶している。③ひと夏、しっかりと学んだことが付箋というかたちに残った。付箋の数は自信へとつながる。

戒能李咲　福島県・安積黎明高等学校2年

網戸越し一ピクセルに見た景色
知らない家の戸にも揺れる風鈴
星月夜空のうねりを感じつつ

①網戸の目をピクセルと捉えたのが面白い。その一目に何を見たのだろう。②破調だが十七音。この家の人も風鈴で涼を感じている。それだけの情報しかないが、作者は親近感を覚えているのかもしれない。③満天の星に宇宙の壮大さを体感する作者。「空のうねり」にエネルギーが感じられる。

小野心愛　福島県・磐城高等学校3年

日傘さしプラネタリウムから帰る

秋めくやアンモナイトを発掘し

恐竜の名を忘れたる神無月

---

①涼しいプラネタリウムで夜空を楽しんだ後、真夏の現実に引き戻される。日傘は移動式の小さな砦だ。②やっと暑さが和らぎ、発掘調査が進む。アンモナイトを掘り当て、一瞬にして太古と自分がつながった。③まるで出雲へ出かけた神様が、作者の記憶から恐竜の名を持ち去ったかのよう。季語が面白いはたらきをしている。

榎本佳歩　福島県・磐城高等学校2年

恋したいまま七月の巡り来る
草いきれ伝えきれない好きの数
星月夜君が足りないだけの道

①恋をしたまま、ではなく、恋したい（気持ちの）まま、というところが眼目。もうすぐ夏休み、心が躍る。②「好きの数」と募る思いを数量で表しているのが面白い。草いきれのする場所で、行き場のない思いを吐き出しているのかもしれない。③美しく輝く星空の下を一緒に歩きたい、心に思う人のことを切なく詠みとめた。

和田菜々子　茨城県・結城第二高等学校3年

尾ひれまで我がものの顔の熱帯魚

蛍火のまぶたの消える朝かな

潮風の夏の夕べのふたりかな

①尾ひれをひらひらさせて泳ぐ熱帯魚を擬人化した。気取っているように作者の目には映ったのだろう。②閉じた目の中の蛍火の記憶が、朝とともに消え失せたのだろうか。「蛍火のまぶた」と詠んだところが個性。③気持ちの良い一句。ゆったりと、安らぎを感じながら過ごすひと時。「ふたり」にも想像が膨らむ。

荒井よつば　東京都・足立高等学校3年

弟の強い筆圧雲の峰

治りかけの額のにきび風光る

父とふたり歩く背中や鰯雲

①字のかたちではなく筆圧に着目した。弟の、雲の峰のような、あり余るエネルギーを感じている作者。②気になるにきびもどうやら治りそう。夏に向け心がはずむ。③父と歩いている、しかし並んでいるわけではなく、父の後からついていっているのだ。その微妙さが、この親子の関係を示しているようだ。

尾崎貫太　東京都・海城高等学校3年

急行の鈍行を待つ遠霞

掌に静脈の美し岩清水

牧場の雲疾き二百十日かな

①列車の接続を待つ間に見た遠霞。そこはかとなく憂鬱が感じられる。②普段見なれている掌だが、岩清水を汲もうとして静脈の美しさに目を奪われた。小さな発見が詩に昇華した瞬間。③さえぎるもののない牧場の空。嵐が来るのだろうか、視界の限りを雲が走る。自然の雄大さを全身で感じているのだ。

尾崎貫太　東京都・海城高等学校3年 ★

秋澄むや地蔵の鼻の苔むして

立て札に異国語四つ草いきれ

菜箸の油に浸かる良夜かな

①地蔵を手入れする人もいない場所。気持ちの良い気候なのに、ふと目にした光景が気になったのだろう。②外国人観光客向けの立て札が、こんなところにもあるんだ、という軽い驚きを一句に詠みとめた。③名月の夜と食事の支度の取り合わせ。揚げ物をしていた人も、今は名月を眺めているのだろうか。

蒋 騰　東京都・海城高等学校2年

気が強き鰆のごとき目をしてゐる

老人の照れて机の臭き初夏

文字と文字は塊になる夜焚火に

①鋭い歯を持つ獰猛な「鰆」のごとき、という比喩が眼目。魚をよく知っているからこそ詠める一句。②「老人の照れ」「机の臭さ」「初夏」これらをどうつなげるかは読者に委ねられている。自由度の高い作品だ。③一転してリアルな景を捉えた句。文字と文字とが「塊になる」という把握が秀逸。上六の異物感も効果的。

星本晴秋　東京都・国士舘高等学校1年

涼しさや祖母が食器を濯ぐ音

最後までボール追いかけ酷暑かな

弟の作る味噌汁夏休み

①祖母の水仕事の音が涼しさをいっそう高める。それ以外の音がしていない静けさも感じられる。②酷暑の中の部活。つらくて苦しい。だけど負けたくない。そんな気持ちが伝わってくる。「最後まで」が効いている。③普段しないことをしている夏休み。弟の味噌汁作り、さてどんな味に仕上がるか、ちょっと心配しているのかもしれない。

根石真弥花　東京都・目黒学院高等学校1年

春風と先生の声が子守歌

新学期明けても暮れてもまたテスト

入学式はじめにするは美男探し

①心地よい風と退屈な授業が眠気を誘う。この後、寝てしまって叱られないといいのだけど。②進級後の新学期のことだろうか。学年が上がりいちだんと勉強が大変になる。追われるような毎日に、うんざりしている作者の様子が伝わる。③それもまた、作者にとっての高校生生活の張り合いなのだろう。

山本莉緒　東京都・目黒学院高等学校1年

髪なびく自転車とばす春疾風

五月晴満員電車見送って

梅雨空やマスク生活早二年

①髪をなびかせ、自転車をとばす作者自身が、やがて春疾風と一体化するのだ。②満員電車を見送る心のゆとりも、五月晴から生まれるものなのだろう。③むしむしとする気候に、思わずマスクを取りたくなる。こんな生活がもう二年も続いているんだ、という憂鬱さが伝わってくる。「マスク」はもはや冬の季語とは言えないかもしれない。

辻村幸多　東京都・立教池袋高等学校2年

階段は裏も段なす蝶の昼

しづしづと海満ちてくる西日かな

やはらかき泡ほど苦し髪洗ふ

①なるほど、鉄階段など、確かにこのとおりだ。蝶を追っているうちに発見したのかもしれない。②「しづしづ」と表現したことで、静かだが確かな自然の営みを感じることができる。③シャンプーの泡を詠みながら、もっと普遍的なことを言っているようだ。自分を優しく包んでくれる「愛」をこう感じているのだろうか。

魚地妃夏　神奈川県・慶應義塾湘南藤沢高等部3年

夕顔や百葉箱で待ち合わせ

夕凪やズボンをめくる手の血筋

夕立や左側だけ濡れた服

---

①夕顔の咲く放課後の約束。気象観察のためか、あるいは別の目的か。百葉箱の白がまばゆい。②海の近くの夏の夕暮れ時。自分の手か、あるいは他人のか。後者であれば、ときめきを感じているのかもしれない。③左側だけ濡れたのは、誰かと一つの傘を分け合ったからか。想像が膨らむ。三句にほのと恋の香りがする。

白濱遼平　神奈川県・慶應義塾湘南藤沢高等部1年

薫風や水平線も雲に入る

昼顔や異郷の病床にひとり

夜九時の新宿駅や夏了る

①自分がいる場所はからりと気持ちいい風が吹いているが、水平線のあたりは雲に隠れている。これから降るのだろうか。気象を敏感に感じている。②旅先で病んだのか、けがをしたのか。孤独感を、窓から見える昼顔が癒してくれる。③新宿駅に到着して旅が終わった。作者にとって、旅の終わりはすなわち、夏の終わりなのだろう。

本多香鈴　神奈川県・相模女子大学高等部2年

会う前に直す前髪春時雨

薄色のスカートの裾夏隣

琴爪を外し引退夏の果

---

①大事な人と会う前の、前髪が気になる作者。なのに雨が降ってきて乱れてしまう。時雨だからすぐに止むのだけど。②「薄色」とは薄い紫のこと。もうすぐ夏。このスカートが活躍しそうな期待感が伝わる。③部活の引退を「琴爪を外す」という具体的な行為で表している。琴に打ち込んできた日々への感慨を感じる。

泉　まいこ　神奈川県・湘南高等学校2年

振り向けば椅子まで届く陽の光

さみしさは互い違いに空いた席

好きだけど好きじゃないから好きなんです

①振り向く前から、陽の光は届いていたが、振り向いて初めて気づいたのだろう。そのように自分の状況次第で気づかないことはいろいろある。②密を避けるための市松模様の空席か。人の少ない会場は確かにさみしい。③好きか好きじゃないか錯綜する気持ち。一応の結論が出たけれど。三句いずれも無季。

齋藤妃樂　神奈川県・横浜翠嵐高等学校3年

神様が絵具溢して夏蕨

雲海の夕日世界は孤独なり

竜淵に潜み列車は鉄橋へ

---

①夏蕨の鮮やかな色に対する独自の捉え方。「こぼす」に「溢す」の字を当てたのは、あふれ返ってしまったというニュアンスを持たせるためだろう。②雄大な景色を前に、自分ではなく世界が孤独だという。コロナ、戦争などによる分断を踏まえてのことだろう。③「竜淵に潜む」という難しい季語で、秋の静かな光景を詠んでいる。

相原乙葉　神奈川県・横浜翠嵐高等学校2年

かたつむり傘をさす子の手の中に

ヨーヨーの浮かぶ水面に夏の我

草いきれかきわけ捜すフリスビー

①雨などお構いなしで、子どもはかたつむりに夢中。それを見る作者の眼差しの優しさを感じる。②祭りの景か。ヨーヨー売りの水槽に映る自分の姿にはっとする。ふわふわした気持ちでいた自分を、自分が見返している。「夏の我」に様々な思いが凝縮している。③行方不明のフリスビー。草いきれがイライラをさらにかきたてる。

河合菜々子　神奈川県・横浜翠嵐高等学校1年

曾祖母の爪にひびあり落花生

鉄塔や夕空を裂き燕去る

腑に落ちぬ顧問の叱咤法師蟬

①落花生を割る曾祖母の爪に着目。長年はたらいてきた爪。曾祖母の人生そのものを見るようだ。②鉄塔の立つ夕空を裂くように鋭く飛んで、燕は南へ帰ってゆく。「燕」は春、「燕帰る（去る）」は秋の季語。③顧問の叱咤に納得がいかない作者。法師蟬の鳴き声で気を紛らわしているのかもしれない。

鈴木璃央　新潟県・村松高等学校3年

蟬の声遠く聞こえる帰り道
桜道水面に写る桃源郷
暗澹と空見上げれば月冴ゆる

①蟬が遠くで鳴いているのではなく、声が「遠く聞こえる」のだ。考え事をしていて、近くの蟬の声が心から遠のいているのだろうか。②春爛漫。桜が写っているのに「桃源郷」というのも面白い。③「暗澹と」というのはかなり暗い気持ち。だがふと見上げると冬の月がくっきりと輝いていて、作者の心を照らしてくれる。

北 康生

石川県・金沢大学人間社会学域学校教育学類附属高等学校2年

白雲や球児走りて汗を灼く

朝練の汗を飛ばして漕ぐペダル

炎天や取りそびれたる化け胡瓜

①「汗」「灼く」どちらも夏の季語だが「汗を灼く」という把握は独自のもの。夏の球児はまさにこんなふうに打ち込んでいる。②朝練の汗をそのままに自転車を走らせる。風が乾かしてくれるだろう。③「炎天」「胡瓜」と季重なりだが、収穫の時期を逸した大きな胡瓜がユーモラスに描かれている。

上原由衣　長野県・長野西高等学校3年

春の宵新居で開くダンボール

山笑ふバイクにテント積んで行く

春の夜やラジオに居場所見出せり

---

①新しい家で迎える春。「開く」という言葉から、始まり、希望、期待などが連想される。②春の訪れとともに山が芽吹きだし、アウトドアで過ごす楽しみが増える。バイクで出かけ、テント泊とはアクティブだ。③「春愁」という季語を詠んだような一句。夜、まるで自分に語りかけているようなＤＪの声に安らぎを見出す。

中島咲音　岐阜県・飛驒神岡高等学校2年

牽牛花国境跨ぐ医師団よ

朝一の母のシャウトよ牽牛花

朝顔や花嫁気取りの登校日

---

①「牽牛花」は秋の季語、朝顔のこと。朝顔は薬として日本に渡来した。そのためか、遠く、紛争地帯などで働く医師団のことを思った作者。②朝から機嫌が悪い母。作者は牽牛花を見ながら嵐の過ぎ去るのを待っているのだろう。③さて、「花嫁気取り」とはどのような感じだろう。彼氏ができて、一緒に登校したのだろうか。

谷口結子　岐阜県・吉城高等学校2年

畑から祖父の呼ぶ声初胡瓜

祖母の膝枕夢見る夏座敷

玄関に母とおそろい夏帽子

①初生りの胡瓜を見せようと祖父が呼んでいて、急いで畑に向かう作者。心弾む夏の朝の一こま。②夏座敷で、祖母に膝枕をしてもらい、夢を見ている、と解釈した。幸せなひと時。③母とおそろいの夏帽子をかぶっての外出。仲のいい母子の姿が目に浮かぶ。三句とも季語を上手に使い、家族との幸せな日常を描き出している。

入江真凜　愛知県・岡崎東高等学校2年

夏の暮老舗菓子屋の店仕舞い

裸足で踊る少女へと星流れ

朝露を瓶に集めるおまじない

①夏の終わりとともに店仕舞いする老舗菓子屋。長い年月、様々なお菓子で町の人々を楽しませてきたのだろう。閉店が惜しまれる。②破調だが十七音。「裸足」は夏の季語だが、この句は「星流れ」（秋）が季語だろう。どこか夢のような景。③どのような効果のあるおまじないだろう。小さな朝露を集めるのは簡単ではなさそうだ。

河合風芽　愛知県・岡崎東高等学校2年

夜半の秋ヒップホップを口ずさむ

ばら銭を一つずつ出す残暑かな

残る虫明日のテストを乗り切れば

①ヒップホップというとダンスをすぐ思い浮かべるが、口ずさむのは秋の夜更けだからか。②いつの間にか財布に溜まるばら銭を、必死に出している。でも財布が小さいからか、一つずつしか出せない。残暑のイライラがさらに増してゆく。③冬も近いというのに鳴いている虫。テスト勉強をする作者。それぞれ頑張っている秋の夜。

中村颯汰　愛知県・豊橋西高等学校3年

前屈の背中押さるる草いきれ

七月や飛行機雲だけが残る

画鋲の穴の満たされなくて夜長

---

①草いきれがするのは校庭の隅でのウォーミングアップの景か。前にかがむたびに草の熱気が伝わってくる。②こんな光景にたまに出会う。機影はなく、飛行機雲だけが七月の空に残されているのだ。③画鋲を外せば当然その跡は空洞として残る。それをあえて「満たされない」と詠んだ。あるべきものの不在について考える夜長。

鈴木哲平　愛知県・名古屋高等学校1年

蚊柱や雨水溜まる一斗缶

七輪を挟んで秋刀魚一匹を

草いきれ盆栽の乗る室外機

…………………………………………

①うっとうしい蚊柱。どうも放置された一斗缶の雨水から発生しているようだ。こんな景も俳句になることを改めて教えられる。②二人で秋刀魚一匹の焼き上がりを待っている。七輪といい、どことなく昭和の風情が漂う。③草いきれのするような場所で、室外機の熱にさらされている盆栽。シニカルな視線を感じる。

服部亮太　愛知県・名古屋高等学校1年

ペリカンの喉膨れたる十月来

和太鼓の胴の肥えたる良夜かな

秋涼しプテラノドンの骨吊られ

①ペリカンの喉は魚を呑めばいつでも膨れるが、深まる秋にそれを見た作者に、何らかの感慨が生まれたのだろう。②良い音を響かせるための和太鼓の胴に焦点を合わせた。観月の催しか。耳も目も愉しんでいる良夜。③「涼し」は夏の季語、「秋涼し」は「新涼」の傍題。翼竜の飛ぶさまを再現した展示を見上げている作者。

伊藤琹奈　京都府・洛南高等学校3年

黒鍵に塵うっすらと油蟬
秋霖や廊下に異国語の響く
凍て星や首の短き肖像画

①黒鍵は埃が目立つ。外では油蟬がうるさく鳴いている。ピアノを弾こうとしている作者のため息が聞こえるよう。②秋の長雨の中、廊下に響く異国語。季語からして、作者はその状況があまり心地よくなさそうだ。③星の凍てつくような夜に、肖像画を鑑賞している作者。その首の短さが気になる。モデルのリアルな姿なのかどうか。

田中涼太　京都府・洛南高等学校2年

鴨や三角点に日の当たる

秋燕路面電車は終点に

フロントに我の吐息や夜半の秋

①三角点は普通、眺望のきく高い場所に設置される。鴨の声を聞きながら、山頂まで登り切った充実感を味わっているのだろう。②それ以上先に行けない路面電車と自由に空を舞う燕との対比が面白い。③ホテルのフロントだろうか。がらんと広い空間に漏れる吐息。秋の深まりを感じる夜。

冨嶋大晃　京都府・洛南高等学校2年

挨拶もせずに出て来て春落葉

山椒魚十貫の身を翻す

虫すだくけふ生まれきしいつぴきも

---

①挨拶をせずにその場を後にしたことを気にする作者。うつむいているから春落葉が目に入るのだろう。②巨大な山椒魚がゆっくりと身を翻す。尺貫法を使った表現が成功している。③数えきれないほどの虫の音の中に、今日生まれたものも鳴いているのだという、作者の生きものへのあたたかい眼差しを感じる。

間部賢杜　大阪府・八尾高等学校2年

滝壺の黒き水底おもちゃ箱

砂の上空のコップに水中花

だんじりや三年振りの祭りの音

①滝壺の水が黒い水底からまた上がってくるにぎやかな様子を「おもちゃ箱」と捉えた視点が個性的。②空のコップの水中花を詠んだ句はあまり見ない。しかも砂の上にそれがあるという。どんな状況なのか、想像がふくらむ。③大阪、岸和田の祭り、だんじり。コロナで中止になっていたが、久々にその音を聞き、胸躍る作者なのだ。

松崎日和　兵庫県・神戸大学附属中等教育学校5年

節電はひとまずお預け酷暑なり

リビングの素足が伝える雨予報

心沸く三年ぶりの花火音

①電力需要の高まる夏。燃料費も上がり、節電しなくてはならないのはわかっているのだが……。多くの人が共感するだろう。②素足がリビングの床の湿り気を感じ、雨が近いことを知らせてくれる。「素足」という季語を上手に使っている。③コロナで中止になっていた花火大会が再開された喜びを素直に詠んでいる。

大杉悠真　兵庫県・灘高等学校1年

緑陰に隠る冷たき聖火台

夏の海うつぼの如き欠伸して

境内に砂利の音響き夏の月

①下五への展開が意外。オリンピックで灯るくらいで、あとはスタジアム周辺の公園の緑に囲まれて静かにそこにあるだけの聖火台。「冷たき」の措辞が的確。②うつぼの欠伸は見たことがないが、大きな口を全開にしているのだろう。③夏の月夜の参詣。砂利の音がよく聞こえるのだから祭りではないだろう。清浄な雰囲気が漂う。

加藤湊人　兵庫県・灘高等学校1年

約束を破りたくなる春霞

白日傘魚暴れる音がする

草いきれ地下に白骨あると思ふ

①春霞の漂う陽気の中、約束などどうでもよくなる気持ちには共感できる。本当に破るかは別として。②白日傘の人は、どんな魚が釣れたかあまり興味がないようだ。バタバタという音を少し離れて聞いているのだろう。③旺盛な草の下に実際に白骨があるかどうかより、死と生が隣接していることを作者は思っているのだろう。

田村謙悟　兵庫県・灘高等学校1年

自転車のフレーム光る残暑かな

初秋なり自転車で川ふたつ越ゆ

初秋や大学ノート新しき

---

①まだまだ暑いけれど、しっかりと手入れをしてピカピカの自転車で出かけたいと、作者は望んでいるのだろう。②秋の初め、つまり八月上旬はまだ夏休み中。自転車で遠出をしてみた作者。川をふたつ越えたらもう旅だ。③夏休みの後半、ノートを新しくし、気分も新たに勉強に励む。秋はリスタートの季節でもある。

鎌田琉夏　和歌山県・桐蔭高等学校2年

仏壇のバナナの黒くなりにけり

物置きの祖母の日傘を持つてゆく

参考書だらけの机みかん一つ

①お供えの菓子や果物は、下げるタイミングが難しい。高級なものは比較的早くおさがりとなるが、バナナは放置されているのかも。②祖母がもう差すことのない日傘。良い品だから孫の作者も使えるのだ。祖母に見守られているような気分かもしれない。③勉強に励み、みかんで一休み。冷たく、甘い刺激で目が覚めるはず。

三浦凪沙　山口県・徳山高等学校3年

卵白はいつも余れり春霞

バス停や風船持たされてをりぬ

シクラメン舌の火傷は痛みをり

---

①黄身だけ使い、残りの白身を持て余す作者。そのもやもやと季語が呼応する。②ちょっと持ってて、と渡されたものかもしれないが、子供でもない作者が風船を手にバス停に立っているのは人目を引く。居心地の悪さが伝わってくる。③取り合わせの句。赤いシクラメンの花弁は、舌のよう。「篝火草《かがりびそう》」の異称にも火の字がある。

山本涼香　山口県・徳山高等学校3年

風船を割る子はまぶた閉ぢまいと

風船に白き献血の広告

風船を渡す子のなきピエロの眼

①わざと風船を割ろうとする子。割れる瞬間を見届けようとしているのだろう。探求心旺盛だ。②広告メディアとしての風船に着眼した。ただ、季語性という点で議論を呼ぶかもしれない。③ピエロの「眼」にまで言及した点が秀逸。読者は、悲しみ、焦り、憂鬱、いろいろなものを、この「眼」から想像するのだろう。

今元春樹　山口県・徳山高等学校2年

弟には弟の友初燕

乙鳥や鍵当番は二周目へ

百円を募金した朝つばめ飛ぶ

①春になり、弟もいつしか自分の世界を持つまでに成長した。喜びと同時に、一抹の寂しさもあるかも。②乙鳥《おつどり》は燕の異称。一説によると乙の字が燕の姿に似ているから。部室か倉庫か、燕の巣のある建物の管理を交代でしているのだ。③募金をした朝、少し胸を張って歩く作者を称えるようにつばめが舞う。

大迫悠真　山口県・徳山高等学校2年

継父の独言を聞く朝寝かな

鏡台のものの晶らかに春の昼

洗礼の赤子のあたま風光る

①継父の独言を聞いているのだから、厳密には作者は眠ってはいない。継父はそれに気づいているだろうか。気づいて言っているのかも。②「晶《あき》らか」とは澄んで曇りのない様。鏡ではなくその周囲にあるものに着眼した点が面白い。③キリスト教の幼児洗礼か。水がかけられた赤子のあたまに、祝福するように春の輝く風が流れる。

増野月麦　山口県・徳山高等学校2年

珈琲の染み気になつてゐる五月

短夜やベリーダンスの息遣ひ

麦茶飲み光る従兄弟のへそピアス

①夏へ向かい、色の薄いものを着るようになり、染みが目立つようになる。特に珈琲の染みは落ちにくい。②夏の夜の、腹部をあらわにした女性のダンス。セクシーでなめらかな、しかし激しいダンスを支える息遣いを作者は見逃さない。③麦茶を飲んだ時にちらっと見えたへそピアス。従兄弟も自分もそれぞれの青春を送っている。

越智夏鈴　愛媛県・今治西高等学校3年

山笑う車内に三通りの寝息

新装のパン屋ののぼり山粧う

眠る山光の幕の下りる雲

①春の山が見えるぽかぽかした車内。三者三様の寝息という把握が楽しい。②季節は秋。色づく山の近くのパン屋。紅葉を見に行く人が、のぼりを見てパンを買ってくれるかもしれない。③静かな冬の山に雲の隙間から光の幕が下りてくるその美しさを詠みとめた。山とその周辺の移ろう季節を詠んでいる三句。

越智夏鈴　愛媛県・今治西高等学校3年　★

非常時のボトルの水や寒厳し

枇杷の花走るナースの手に書類

しわのない服着せられし冬の犬

①厳しい寒さの中、非常時の備えを確認している作者。災害はいつ襲ってくるかわからない。②枇杷は冬に、目立たない花を咲かせる。ナースはいつも忙しく、目立たない仕事もあるが、私たちの生活には不可欠な存在である。③犬の服が可愛いというだけでなく、しわがないところまで観察したのは見事。大事に大事にされているのだ。

越智夏鈴　愛媛県・今治西高等学校3年 ★

郭公や10年前のニュータウン

カンナ咲く対岸のごみ投棄場

ストーブの火消えて駅の猫去りぬ

---

①ニュータウンとして、かつては若い家族がたくさんいた町もすっかり落ち着いた。郭公の来る良い環境が保たれているようだ。②鮮やかなカンナの花とごみの対比が鮮烈。美しいものは近くに、汚いものは遠くに。シニカルな視線が感じられる。③猫は快適な場所をよく知っている。消えたストーブは用無しだ。

宇都宮駿介　愛媛県・松山東高等学校3年

七月や空の鞄で旅に出る

秋刀魚食う最後は愚痴となる会話

父の背のひとときは広く秋祭

①この夏、この鞄は何で満たされるのだろう。作者はこの旅で何を得てくるのだろう。希望にあふれた一句。②楽しかった会話がいつの間にか愚痴に。だが愚痴を言い合えるのは親しい間柄だからこそ。一緒に秋刀魚を食べるような。③秋祭の人混みの中、父の背を追う。逞しく、いつも導いてくれる背中。それを改めて認識したのだ。

古賀鈴奈　福岡県・立花高等学校3年

パトカーの隠るるところなく春野

万物のうららかに影重ねあふ

土掘れば日が及ぶなり春暑し

…………………………………………

①交通違反の取り締まりだろうか。遮るもののない春野の、どこからも丸見えのパトカー。ユーモラス。②万物を主語とし、それが影をふわっと重ねあう様に、「うららか」という季語をうまく使っている。③掘り返すと、今まで土中にあったところに日が差す。季語によって、それの示す世界観も変わってきそうだ。

寺崎鳳飛　福岡県・西日本短期大学附属高等学校3年

岩肌の大きなへこみ滝涼し

風鈴の音の沈みゆく夜の底

星涼し一人バイクを走らせる

---

①長い年月をかけて滝が穿ったくぼみだろうか。涼しい風を送る滝の秘められたパワーを目の当たりにする作者。②「音の沈みゆく夜の底」という表現が美しい。風鈴の余韻がいつまでも続き、それによって夜の静けさがいっそう浮き彫りとなる。③夏の星空の下、一人バイクを駆る。映画のワンシーンのよう。

安和音南　沖縄県・興南高等学校3年

風船の日ごとに色の濃くなりぬ

箱庭や人置く爪の美しく

蚊柱を散らしてゆける三輪車

①次第に空気が抜けて、風船の色は濃く、膨らむ前の色に戻ってゆく。観察眼がすばらしい。②箱庭作りは夏の優雅な遊び。植物や土、水で神のように自分の世界を作っていく。小さな人形を置く、美しい爪の持ち主への作者の憧憬が感じられる。③子供は蚊柱などお構いなしに走る走る。元気のよい句。

平安莉久　沖縄県・興南高等学校3年

風船が監視カメラを横切れり

電柱に届かんとする新樹かな

光らずに揺るる提灯赤蜻蛉

---

①監視カメラは安全を守ってくれるが、窮屈でもある。この風船も「飛び去る」のではなく「横切る」のだから、誰かが持っていて、監視から自由ではないのだ。②新樹の伸びるスピードへの素直な驚きが感じられる。③一つだけ灯らないのか、すべて灯らないのか。赤蜻蛉が見える時刻だからこれから灯るのか。いろいろ想像できる。

山城光生

沖縄県・興南高等学校3年

氷旗吹き飛ばされて海の上

その中に穂高き一つ夕芒

風向きに逆らってゆく蜻蛉かな

①浜辺の強風にさらわれた氷旗。だれかが泳いで取りにいくのだろうか。ユーモラスと捉えるか、寂し気と捉えるかは読者次第。②夕日を浴びる芒の中に一本だけ背の高いものがあった。芒はひとまとめで捉えられることが多いので、この発見は貴重。③よほど力のある蜻蛉なのだろう。作者はその姿に何を思ったのだろうか。

団体優秀賞

岩手県　水沢高等学校

山口県　徳山高等学校

沖縄県　興南高等学校

団体奨励賞

東京都　国士舘高等学校

神奈川県　神奈川大学附属高等学校

宮城県　名取高等学校

一句入選作品

3句1作品としての入選には到らなかったものの、
光った125句を「一句入選」としました。
同一作者の2作品目以降には★を付けました。

水のうへ水のおもての蛍かな
加藤維吹　北海道・旭川実業高等学校２年

美術室油の香る夏休み
松田みづき　北海道・白糠高等学校２年

菜種梅雨待ち受けがクリムトのきみと
山中はるの　青森県・五所川原高等学校３年

二年ぶり浴衣をはおって背くらべ
下山るな　青森県・三本木高等学校２年

熱帯夜都会の姉にメッセージ
川村　心　青森県・三本木高等学校１年

グラウンドペットボトルの中の空
柴田優月　青森県・三本木高等学校１年

晴れ舞台ダンスで緊張文化祭
髙木凰丞　青森県・三本木高等学校１年

日の下のオレンジ色の選手たち
東　里美　青森県・三本木高等学校１年

冬の朝遠くで響くアラーム音

戸来小紅
青森県・三本木高等学校１年

部活後の僕を迎えた春一番

松田佳大
青森県・三本木高等学校１年

ラケットに別れを告げる七月来

葛西麟太郎
青森県・弘前高等学校３年

失恋や残暑まとわりつく背中

阿部なつみ
岩手県・水沢高等学校３年

晩夏光ストリートピアノの余韻

阿部なつみ★
岩手県・水沢高等学校３年

春の雨新居に甘き木の匂い

阿部なつみ★
岩手県・水沢高等学校３年

シクラメンひらがなだけの文が来る

菊地真帆
岩手県・水沢高等学校３年

秋の暮粘土細工の顔歪む

菊地真帆★
岩手県・水沢高等学校３年

背伸びして満月つかむ田舎道

櫻田樹里
岩手県・水沢高等学校２年

新涼や自転車二台倒れてる

櫻田樹里 ★
岩手県・水沢高等学校２年

廃校の裂けたカーテン鰯雲

鈴木綾乃
岩手県・水沢高等学校２年

桜の実祖母の薬の数増えて

及川華凛
岩手県・水沢高等学校１年

ひぐらしや町まで夕の闇がくる

引地佳歩
岩手県・水沢高等学校１年

教科書は今日もまっさら渡り鳥

引地佳歩 ★
岩手県・水沢高等学校１年

炎天や強炭酸水飲み込んで

横溝麻志穂
宮城県・聖ウルスラ学院英智高等学校３年

息合わせひたすら漕いだ湖の夏

棚木 響
秋田県・秋田高等学校２年

浴衣着て三年ぶりの祭りへと

安田小夏
秋田県・秋田高等学校２年

石段で祖母の手にぎる秋彼岸

加藤寿々
秋田県・秋田北高等学校２年

秋桜やさよならくらい貴方から

角崎良佳
秋田県・秋田北高等学校２年

眩しくて布団に深くもぐり込む

小幡ののは
秋田県・秋田西高等学校１年

ソーダ水その他の欄に丸つけて

小野心愛
福島県・磐城高等学校３年

カーテンの裾の足りずや春の朝

大友 結
埼玉県・星野高等学校３年

失恋の波打ち際や鰯雲

石田青空
東京都・桜美林高等学校１年

山の朝テントについた蟬の殻

林 太一
東京都・桜美林高等学校１年

すきとほるもの八月の菓子店に

尾崎貫太
東京都・海城高等学校3年

卒業やノートの隅にいつかの句

関 友之介
東京都・海城高等学校3年

縮尺の乱れてをりぬ雲の峰

蒋 騰
東京都・海城高等学校2年

ビル風に吹かれる夏のおさげ髪

川嶋里佳
東京都・共立女子高等学校2年

雷光に急かされ走る畑道

木田盛太郎
東京都・国士舘高等学校2年

匿名の僕を許した桜並木

米山 響
東京都・国士舘高等学校2年

受験前心はまるで霜柱

高橋利空
東京都・昭和第一学園高等学校3年

昼休み日向ぼっこで暇潰し

牛込実来
東京都・目黒学院高等学校3年

梅雨明けて熱い季節の登下校

桒原心優
東京都・目黒学院高等学校３年

大騒ぎあの子のゴシップ休暇明

徳力ひとみ
東京都・目黒学院高等学校３年

コロナ禍の仮面被った美男美女

鳥居壮基
東京都・目黒学院高等学校３年

制服で歌い踊った夏の夜

上野彩音
東京都・目黒学院高等学校２年

在りし日とすれ違う坂見る陽炎

甲谷千芙里
東京都・雪谷高等学校２年

深爪を増やしてゐたる良夜かな

赤松　優
東京都・立教池袋高等学校２年

七月や剃刀に毛の残りたる

岡部優司
東京都・立教池袋高等学校２年

風船を父にあづけて駆け出しぬ

辻村幸多
東京都・立教池袋高等学校２年

勉強を机上で見つめる扇風機

田中美礼
神奈川県・相原高等学校３年

台風が逆さにした傘持ってった

大橋彩生
神奈川県・相原高等学校１年

葬送を終えてすぐ来るお盆かな

竹田大智
神奈川県・神奈川大学附属高等学校２年

いつの間に見下ろしていた祖母の顔

葛原菜子
神奈川県・神奈川大学附属高等学校１年

窓辺にてこおり頬張る初夏の昼

田中咲彩
神奈川県・神奈川大学附属高等学校１年

凍星や明朝体の殺人鬼

魚地妃夏
神奈川県・慶應義塾湘南藤沢高等部３年

メタファーの研究をして蟬時雨

海部 花
神奈川県・慶應義塾湘南藤沢高等部３年

甘酒で乾杯父の目は細い

松見碧生
神奈川県・慶應義塾湘南藤沢高等部１年

桜蘂降る君のためのカーペット

草薙清香
神奈川県・聖セシリア女子高等学校２年

春麗ら不揃いな家具のワンルーム

中尾瑠々花
神奈川県・法政大学第二高等学校３年

海風に日傘ごと連れ去られかけ

相原乙葉
神奈川県・横浜翠嵐高等学校２年

訃報聞き仰いだ空には鱗雲

後　明希
石川県・金沢伏見高等学校３年

黒き足輝く冬の書の合作

髙嶋想順
福井県・福井商業高等学校３年

鬼ごっこ家裏逃げ道草茂る

森下結衣
福井県・福井商業高等学校３年

赤松や二羽の燕の揺蕩ひて

齊藤健太
山梨県・甲府南高等学校１年

彼来るか線香花火落ちるまでに

青木心結
長野県・長野清泉女学院高等学校２年

がんばれと付箋の付いた夜食かな

青木心結 ★
長野県・長野清泉女学院高等学校2年

石垣のこんなところにすみれ草

戸谷美桜
長野県・長野清泉女学院高等学校2年

黒南風や校舎の裏に一人立つ

所附実優
長野県・長野西高等学校3年

三振くらつた奴と再会した入学

岸 快晴
岐阜県・大垣北高等学校3年

静寂に包まれ外は銀世界

後藤千尋
岐阜県・済美高等学校1年

シクラメンなぜなぜと問う二歳半

井上歩香
岐阜県・飛騨神岡高等学校1年

若菜摘人を気にせぬ祖母の背

井上歩香 ★
岐阜県・飛騨神岡高等学校1年

密避けて一人家から見る花火

伊藤寛晟
静岡県・加藤学園高等学校1年

夕立や走って渡る交差点

天野柚香
静岡県・静岡商業高等学校3年

踊るように苺を洗う母の手よ

長谷川陽也
静岡県・静岡商業高等学校3年

若葉風手加減なしの父に勝つ

古木翔馬
静岡県・静岡商業高等学校2年

祖母の庭隅に集まるチューリップ

小島里帆
愛知県・安城高等学校2年

強風に立ち向かいたる鯉幟

永田寧来
愛知県・安城高等学校1年

ぶわぶわと犬のいびきのする良夜

服部 楓
愛知県・桜花学園高等学校3年

日盛の助手席にあるエコバッグ

長谷川文音
愛知県・桜花学園高等学校1年

秋暑し散々に積む参考書

岩切こころ
愛知県・岡崎東高等学校2年

電車待つ友の後ろに流れ星
藤原衣芙　愛知県・岡崎東高等学校2年

桜蘂降る野良犬の鼻の上
難波晴菜　愛知県・幸田高等学校3年

仮免の姉髪結び春隣
松井宏志郎　愛知県・東海高等学校1年

白球のまだ見つからぬ草いきれ
中村颯汰　愛知県・豊橋西高等学校3年

もう少しかまってほしい風鈴よ
服部孝太　愛知県・豊橋西高等学校1年

緑陰や赤子の耳のあかあかと
幸村遥都　愛知県・名古屋高等学校2年

シースルーバングのような掛簾
山田真滉　愛知県・ルネサンス豊田高等学校2年

十字架の足下に淡雪の色
伊藤栞奈　京都府・洛南高等学校3年

涼風や十和田湖はまた青くなる
田中涼太
京都府・洛南高等学校２年

このカフェのオーナーは母麦茶飲む
中島梨太
京都府・洛南高等学校２年

鷹渡りたる新幹線のホーム
田村典
京都府・洛南高等学校１年

フルートに映り込む天高い青
福田志帆
大阪府・香里ヌヴェール学院高等学校１年

片影を探す肩と通知票
西田凜
大阪府・桜塚高等学校１年

蛇と花炬燵の上で皮アート
佐藤柊太
兵庫県・長田高等学校２年

7月の鳥線路を眺めけり
加藤湊人
兵庫県・灘高等学校１年

日傘の柄真中にあり初デート
田村謙悟
兵庫県・灘高等学校１年

頂上に日傘見えたり無人島

田村謙悟 ★
兵庫県・灘高等学校1年

皿を割る朝に秋燕皆発てり

稲田 凜
広島県・基町高等学校3年

重さうに飛ぶ白鷺の重さかな

伊藤彩乃
山口県・徳山高等学校3年

金網に秋刀魚おほきく反つてをり

松田 凜
山口県・徳山高等学校3年

爽やかや十八歳の投票す

三浦凪沙
山口県・徳山高等学校3年

線路には果て無きやうに朝霞

三浦凪沙 ★
山口県・徳山高等学校3年

冬の夜や書き殴つては英単語

福田裕吾
山口県・徳山高等学校2年

熊蟬や遠くのタンカー眺める

福田裕吾 ★
山口県・徳山高等学校2年

風船の口結ぶとき母頼み

三吉花佳 山口県・徳山高等学校2年

草いきれ記憶と合わぬ商店街

原田爽花 山口県・徳山高等学校1年

春雷に驚く末子抱き締めて

堀澤奈津実 山口県・徳山高等学校1年

目で追うけれどマスクの下は知らぬまま

椿 史帆 山口県・萩光塩学院高等学校3年

佐保姫の声や鏡の中に在り

松本欣大 山口県・防府高等学校3年

冬うらら父愛用のガラスペン

越智夏鈴 愛媛県・今治西高等学校3年

小米花白髪の増えしトイプードル

藤尾美波 愛媛県・済美平成中等教育学校5年

朝焼の角を曲がっていなくなる

相曽光軌 愛媛県・松山西中等教育学校3年

タンポポに活断層の重さかな

篠原孝太
愛媛県・松山東高等学校１年

夏立つや柱の線と背比べ

池田美羽
福岡県・西日本短期大学附属高等学校３年

行く春やからの鳥かご揺れてをり

池松碧海
福岡県・西日本短期大学附属高等学校３年

夕立晴土の香の風切る素振り

重松龍也
福岡県・西日本短期大学附属高等学校３年

タンポポの綿毛乗り込む三両目

脇元彩羽
福岡県・博多青松高等学校３年

停電のテレビ彩る金魚鉢

山口広大朗
福岡県・八女高等学校３年

蟬時雨運動靴に降り積もる

磯部彩葉
熊本県・熊本高等学校１年

七月やおほきく剝がれ松の皮

金城　昊
沖縄県・興南高等学校３年

鎌倉に濤の褪せたる氷旗

外間広大
沖縄県・興南高等学校３年

一人なら気ままやプランターの蟻

山城光生
沖縄県・興南高等学校３年

通学路その叢の刈られけり

山城光生 ★
沖縄県・興南高等学校３年

参観日窓の向かうに白鳥帰る

知名凛音
沖縄県・興南高等学校２年

茶簞笥の指紋の見ゆる春の風邪

新妻美佳
沖縄県・興南高等学校２年

応募高校一覧（二三七校）

【北海道】旭川工業高等専門学校／旭川実業高等学校／旭川西高等学校／旭川東高等学校／追分高等学校／大空高等学校／釧路工業高等学校／市立札幌開成中等教育学校／札幌南高等学校／白糠高等学校／函館西高等学校

【青森県】鰺ヶ沢高等学校／五所川原高等学校／三本木高等学校／三本木農業恵拓高等学校／八戸商業高等学校／弘前高等学校

【岩手県】北上翔南高等学校／花巻北高等学校／水沢高等学校／盛岡第三高等学校

【宮城県】クラーク記念国際高等学校　仙台キャンパス／聖ウルスラ学院英智高等学校／仙台高等専門学校／名取高等学校

【秋田県】秋田高等学校／秋田北高等学校／秋田西高等学校

【福島県】会津学鳳高等学校／葵高等学校／安積黎明高等学校／磐城高等学校／郡山東高等学校／清陵情報高等学校

【茨城県】下館第二高等学校／常総学院高等学校／第一学院高等学校　高萩本校／大成女子高等学校／つくば開成高等学校／並木中等教育学校／結城第二高等学校／ルネサンス高等学校

【栃木県】岡本特別支援学校／黒磯高等学校

【群馬県】大泉高等学校／高崎高等学校／館林女子高等学校／利根商業高等学校／富岡実業高等学校

／前橋商業高等学校／前橋女子高等学校

【埼玉県】浦和明の星女子高等学校／大宮高等学校／川口北高等学校／慶應義塾志木高等学校／栄東高等学校／星槎学園高等部　大宮校／鳩ヶ谷高等学校／東野高等学校／星野高等学校／武蔵越生高等学校

【千葉県】クラーク記念国際高等学校　千葉キャンパス／光英ＶＥＲＩＴＡＳ高等学校

【東京都】足立高等学校／板橋有徳高等学校／岩倉高等学校／桜美林高等学校／大泉高等学校／大妻高等学校／大妻中野高等学校／海城高等学校／学習院女子高等科／神田女学園高等学校／共立女子高等学校／九段中等教育学校／麴町学園女子高等学校／国士舘高等学校／鷺宮高等学校／自由ヶ丘学園高等学校／昭和第一学園高等学校／白梅学園高等学校／白百合学園高等学校／杉並学院高等学校／杉並総合高等学校／創価高等学校／中央大学附属高等学校／桐朋高等学校／桐朋女子高等学校／一橋高等学校／墨東特別支援学校／三輪田学園高等学校／明星高等学校／目黒学院高等学校／雪谷高等学校／立教池袋高等学校

【神奈川県】相原高等学校／麻生高等学校／あずさ第一高等学校　横浜キャンパス／神奈川大学附属高等学校／鵠沼高等学校／慶應義塾高等学校／慶應義塾湘南藤沢高等部／相模女子大学高等部／湘南高等学校／城郷高等学校／聖セシリア女子高等学校／相洋高等学校／立花学園高等学校／法政大学第二高等学校／保土ケ谷高等学校／森村学園高等部／横須賀学院高等学校／横浜高等学校／横浜共立学園高等学校／横浜翠嵐高等学校／横浜創学館高等学校／横浜市立横浜総合高等学校／横浜雙葉高等学校

／吉田島高等学校

【新潟県】 村松高等学校

【富山県】 高岡向陵高等学校／高岡南高等学校

【石川県】 金沢商業高等学校／金沢大学人間社会学域学校教育学類附属高等学校／金沢伏見高等学校

【福井県】 福井商業高等学校

【山梨県】 甲府市立甲府商業高等学校／甲府南高等学校／北杜市立甲陵高等学校／都留興譲館高等学校／山梨高等学校

【長野県】 長野清泉女学院高等学校／長野西高等学校

【岐阜県】 鶯谷高等学校／恵那高等学校／大垣北高等学校／郡上北高等学校／済美高等学校／聖マリア女学院高等学校／飛騨神岡高等学校／吉城高等学校

【静岡県】 加藤学園高等学校／静岡高等学校／静岡商業高等学校／静岡雙葉高等学校／静清高等学校／星陵高等学校／常葉大学附属橘高等学校／浜松学芸高等学校

【愛知県】 旭丘高等学校／安城高等学校／桜花学園高等学校／岡崎東高等学校／刈谷東高等学校／幸田高等学校／東海高等学校／東郷高等学校／豊橋西高等学校／名古屋高等学校／光ヶ丘女子高等学校／明和高等学校／ルネサンス豊田高等学校

【三重県】 桑名高等学校／セントヨゼフ女子学園高等学校／四日市高等学校

【滋賀県】 能登川高等学校

【京都府】北稜高等学校／洛南高等学校

【大阪府】大阪女学院高等学校／高津高等学校／香里ヌヴェール学院高等学校／桜塚高等学校／清水谷高等学校／高槻高等学校／三島高等学校／明浄学院高等学校／八尾高等学校

【兵庫県】近畿大学附属豊岡高等学校／神戸大学附属中等教育学校／神戸市立神港橘高等学校／豊岡高等学校／長田高等学校／灘高等学校

【奈良県】育英西高等学校

【和歌山県】桐蔭高等学校／和歌山北高等学校（北校舎）

【鳥取県】湯梨浜学園高等学校

【島根県】邇摩高等学校

【岡山県】井原高等学校 南校地／岡山城東高等学校／鹿島朝日高等学校／倉敷翠松高等学校

【広島県】呉商業高等学校／並木学院福山高等学校／広島市立基町高等学校

【山口県】岩国総合高等学校／徳山高等学校／萩光塩学院高等学校／防府高等学校／柳井商工高等学校

【徳島県】阿南工業高等専門学校

【香川県】善通寺第一高等学校

【愛媛県】今治精華高等学校（松山学習センター）／今治西高等学校／済美平成中等教育学校／新田青雲中等教育学校／松山西中等教育学校／松山東高等学校／八幡浜高等学校

【福岡県】鞍手高等学校／立花高等学校／中間高等学校／西日本短期大学附属高等学校／博多青松高等学校／北筑高等学校／京都高等学校／明善高等学校／八女高等学校

【佐賀県】有田工業高等学校／佐賀西高等学校

【長崎県】壱岐高等学校／純心女子高等学校／長崎女子高等学校

【熊本県】熊本高等学校／熊本高等専門学校（熊本キャンパス）／熊本市立千原台高等学校

【鹿児島県】大島高等学校／鹿児島中央高等学校

【沖縄県】糸満高等学校／N高等学校／小禄高等学校／嘉手納高等学校／具志川高等学校／興南高等学校／那覇西高等学校

【海外】KENT SCHOOL／Penn Foster High School

あとがき

第二五集となります『17音の青春　２０２３』をお届けします。

今年度の作品には、久々にコロナ禍の行動制限から解放され、花火、祭り、旅行、スポーツなど、さまざまなイベントを楽しめる喜びを詠んだ句がたくさんありました。高校生のみなさんが、青春の大事な一時期をいかに抑圧されて過ごしてきたかと思うと胸が痛みます。

一方で大きな戦争が始まり、そのことを詠んだ句も多く見受けられました。みなさんのアンテナが広範囲に張り巡らされているのを感じます。

来年度もたくさんのご応募をお待ちしております。

学校法人　神奈川大学広報委員会
https://www.kanagawa-u.ac.jp/

17音《おん》の青春《せいしゅん》　2023
五七五《ごしちご》で綴《つづ》る高校生《こうこうせい》のメッセージ

2023年4月10日　初版発行

編　者　学校法人《がっこうほうじん》 神奈川大学広報委員会《かながわだいがくこうほういいんかい》

発行者　石川 一郎

発　行　公益財団法人 角川文化振興財団

〒359-0023　埼玉県所沢市東所沢和田3-31-3
ところざわサクラタウン　角川武蔵野ミュージアム
電話　050-1742-0634
https://www.kadokawa-zaidan.or.jp/

発　売　株式会社 KADOKAWA

〒102-8177　東京都千代田区富士見2-13-3
電話　0570-002-301（ナビダイヤル）
https://www.kadokawa.co.jp/

印刷所　中央精版印刷株式会社

製本所　牧製本印刷株式会社

装丁・本文デザイン　國枝達也
カバー写真　©bird and insect Co.,Ltd./a.collectionRF/amanaimages
DTP　アメイジングクラウド株式会社

ISBN978-4-04-884527-4 C0092 Printed in Japan